La collection

RÉVERBÉRATION

est dirigée par

gaëtan Lévesque

L'invention de Louis

Du même auteur

La bouche théâtrale. Études sur l'œuvre de Valère Novarina [dir.],
    Montréal, XYZ éditeur, coll. « Documents », 2005.
L'esprit en boîte, nouvelles, Montréal, Lévesque éditeur, coll.
    « Réverbération », 2010.
Une estafette chez Artaud, autogenèse littéraire, Montréal,
    Lévesque éditeur, coll. « Réverbération », 2012.

NICOLAS TREMBLAY

L'INVENTION DE LOUIS

anticipation

Lévesque
éditeur

RÉVERBÉRATION

Catalogage avant publication
de Bibliothèque et Archives nationales du Québec et Bibliothèque et Archives Canada
Tremblay, Nicolas
L'invention de Louis: anticipation
(Réverbération)
ISBN 978-2-924186-18-3
I. Titre. II. Collection : Réverbération.
PS8639.R454I58 2013   C843'.6   C2013-940471-6
    PS9639.R454I58 2013

Lévesque éditeur remercie le Conseil des Arts du Canada (CAC)
et la Société de développement des entreprises culturelles du Québec (SODEC)
de leur soutien financier.

Lévesque éditeur
11860, rue Guertin
Montréal (Québec) H4J 1V6
Téléphone : 514.523.77.72
Télécopieur : 514.523.77.33
Courriel : info@levesqueediteur.com
Site Internet : www.levesqueediteur.com

Dépôt légal : 1er trimestre 2013
Bibliothèque et Archives Canada
Bibliothèque et Archives nationales du Québec
ISBN 978-2-924186-18-3 (édition papier)
ISBN 978-2-924186-19-0 (édition numérique)

Distribution au Canada
Dimedia inc.
539, boul. Lebeau
Saint-Laurent (Québec) H4N 1S2
Téléphone : 514.336.39.41
Télécopieur : 514.331.39.16
www.dimedia.qc.ca
general@dimedia.qc.ca

Distribution en Europe
Librairie du Québec
30, rue Gay-Lussac
75005 Paris
Téléphone : 01.43.54.49.02
Télécopieur : 01.43.54.39.15
www.librairieduquebec.fr
libraires@librairieduquebec.fr

Production : Jacques Richer
Conception graphique et mise en pages : Édiscript enr.
Illustration de la couverture : Sergio Kokis, *L'écrivain dans la machine*,
graphite sur papier, 22 cm × 28 cm, 2013

À Louis-Philippe Hébert

Un des aspects fondamentaux de l'âge de l'électricité, c'est qu'il instaure un réseau global qui possède plusieurs des caractéristiques de notre système nerveux central. Le système nerveux central n'est pas qu'un simple réseau électrique : il constitue un seul et même champ unifié de perception.

MARSHALL MCLUHAN

Première machine :
La machine réinventée

(Note de l'auteur: texte produit mécaniquement par la Remington de l'écrivain Louis Philippe en l'an 2015.)

Chambre d'un mouroir éclairée par la seule lumière tamisée d'une lampe de chevet. Sur le sol, au pied du lit, repose une grosse valise dont le contenu restera secret jusqu'à la fin de l'acte. Un homme veille un grabataire. Minuit a déjà sonné; tout le monde dort à l'exception des gardiens qui font la ronde dans les couloirs et des deux personnages sur la scène. Lorsque les voix s'éteignent, c'est le silence.

VOIX DU FILS
Ils ne feront rien de ce que tu dis. Rassure-toi. J'ai parlé au directeur. Fais-moi confiance.

VOIX DU PÈRE *(toutes ses répliques seront chuchotées)*
Mais qu'en sais-tu? Ils trompent tout le monde et ont le beau rôle. C'est un type très brillant et pervers, ce directeur. Il réussit même à convaincre ses patients qu'ils désirent ce qui les attend. La mort et la souffrance leur arrivent comme une heureuse délivrance. C'est tout juste s'ils ne lui disent pas merci avant d'expirer.

VOIX DU FILS
As-tu été témoin de ce que tu avances? As-tu entendu des bruits suspects? As-tu vu la machine? Ou tires-tu ces informations d'un résidant en proie à des hallucinations? Ça n'a pas de sens tout ça.

VOIX DU PÈRE
Parle moins fort je t'en prie. Les murs ont des oreilles ici. Si mes tortionnaires se rendent compte que j'ai vu clair dans leur jeu, je serai le prochain sur la liste.

VOIX DU FILS
As-tu pris tes médicaments ?

VOIX DU PÈRE
Ne change pas de sujet. Nous devons régler la question avant ton départ.

VOIX DU FILS
Ces médicaments sont nécessaires. Tu le sais. Tu dois les prendre. Ils contrôlent tes humeurs. Je vais devoir engueuler de nouveau le préposé de la pharmacie. Quel empoté ! Je me demande pourquoi ils ne l'ont pas encore viré.

VOIX DU PÈRE
Je t'en prie, Nicolas. Il ne faut rien faire de tout ça, surtout ne pas formuler une plainte qui se rendrait jusqu'au bureau du directeur. Je serais perdu. *(On entend des pas se rapprocher.)* Merde. Taisons-nous. Les gardiens. *(Ils se rapprochent.)* Éteins la lumière. *(Le fils maugrée.)* Éteins la lumière ! *(Le fils obtempère. Les pas se rapprochent. Les gardiens passent devant la chambre sans s'arrêter puis s'éloignent. Les personnages restent muets et ne rallument pas la lumière tant que dure le decrescendo des pas.)* C'est bon. Les brutes sont parties. Nous devrions entendre sous peu le grincement des roues de la machine. Ils la sortent toujours après la première ronde des gardiens.

VOIX DU FILS
Bon sang, depuis combien de temps n'avales-tu plus tes pilules ? J'en ai marre. Pourquoi me fais-tu encore ça ? Tu ne reviendras pas à la maison cette fois-ci. C'est terminé. Ce n'est

plus possible. Tu sais combien me coûte cet endroit? Le meilleur que j'ai pu trouver. Privé par-dessus le marché. Tu as vu l'état des hospices de longue durée du gouvernement? Si j'avais été un fils indigne, je t'aurais parqué là.

VOIX DU PÈRE
C'est une menace.

VOIX DU FILS
Non, je veux simplement te faire réaliser quelle est ta chance. On te soigne très bien ici. Tu as les meilleurs gérontologues. La bouffe est excellente. Tu es lavé tous les soirs. Les infirmières sont même bien roulées. Il n'y a que ce foutu préposé à la pharmacie qui ne fait pas son travail correctement. Mais son temps est compté à lui, crois-moi.

VOIX DU PÈRE
Et je perdrai mon seul allié dans cet endroit pourri…

VOIX DU FILS
C'est donc ça. Tu l'as corrompu… comme bien des autres… Je gage que tu lui as prêté tes foutus livres. Que tu l'as envoûté. Qu'il s'est mis à croire à tes théories farfelues.

VOIX DU PÈRE
Avant, tu me pensais fou, maintenant, tu me crois devenu sénile en outre. Je sais bien que tout ce que je pourrais te dire ne trouvera pas grâce à tes yeux. Il y a trop longtemps que tu me détestes. Si tu daignes encore venir me voir, c'est seulement pour te déculpabiliser. Petit fils parfait, va! Retourne te barricader dans tes petites certitudes de comptable. Mais quelle vie minable tu mènes. Comment peux-tu être aussi endoctriné? Finalement, je ne t'aurai jamais appris le sens critique. Je pensais qu'une fois adulte, loin de moi, tu cesserais cette révolte infantile contre le Père et que tu lirais enfin

des livres, que tu réfléchirais par toi-même. Je me trompais. Tu croupis encore heureux dans tes certitudes visqueuses. Je mourrai bientôt avec le constat de mon échec, torturé, disséqué, broyé par la machine du directeur, à cause de toi, qui ne me crois pas et qui feras ainsi partie du complot.

VOIX DU FILS
C'est la même histoire qui se répète. Je viens te voir en pleine semaine avec les meilleures intentions du monde parce que tu m'appelles à la rescousse, et voilà qu'en guise de remerciements, j'essuie des insultes. As-tu seulement conscience de mes responsabilités ? Je dois abandonner mes jeunes enfants et ma femme enceinte jusqu'aux oreilles pour te rendre visite. En plus, nous sommes dans la période des impôts, le pire moment de l'année. Je vais durement payer la nuit blanche que tu me fais passer. Demain, au bureau, on m'attend avec des piles de dossiers tous plus urgents les uns que les autres. Et moi, eh bien, je suis ici à ton chevet à écouter malgré tout tes balivernes parce que, encore une fois, tu refuses de te soigner. Sais-tu que je dois rouler pendant au moins trois heures pour me rendre jusqu'à toi ? N'as-tu pas un peu de reconnaissance pour tous les efforts que je déploie pour m'assurer de ton bien-être ?

VOIX DU PÈRE *(apitoyée)*
Ce temps-là où tu devais t'occuper de moi achève…

VOIX DU FILS
Je t'en prie. Ne sois pas pathétique. Les médecins me le confirment. Tu es en bonne forme. Tu peux vivre encore longtemps, si tu acceptes de te soigner.

VOIX DU PÈRE
Pourrais-je avoir un verre d'eau, s'il te plaît ?

Le fils se lève et va vers l'évier côté cour devant la scène. Il remplit un verre qu'il rapporte à son père. Il fouille dans ses poches et en sort deux grosses gélules. Il les tend au grabataire. Celui-ci les met dans sa bouche. Il boit et dépose son verre sur la table de nuit, située de l'autre côté du lit. Il en profite pour dissimuler qu'il crache les gélules par terre. Les deux personnages ne parlent plus pendant de longues minutes jusqu'à ce que le père rompe enfin le silence.

VOIX DU PÈRE

Merci de rester avec moi cette nuit. D'une fois à l'autre, les bruits de la machine se rapprochent toujours plus de ma chambre. Les hurlements de la victime me vrillent le crâne et m'empêchent de dormir. Je ne retrouve pas le sommeil même après la fin de l'exécution tellement cela me glace le sang. Le plus troublant, c'est que personne ne dit rien le lendemain. Ha ! bien sûr, les moins gâteux remarquent que Roger, Lucienne ou Cécile ne sont pas à leur place à la cafétéria, ils en sont tout chagrins, mais il n'y a là rien d'anormal à voir l'un des nôtres partir, nous sommes ici pour ça après tout. Eux, ils pensent tout simplement que la camarde est enfin venue chercher l'un des leurs dans son sommeil. Si je pose des questions, on me répond n'avoir rien entendu. En vérité, ils sont tous gavés de somnifères. Un ouragan ne les tirerait même pas du lit. Mais nous, nous l'entendrons. Bientôt. Je ne suis pas débile. Tu le verras bien.

VOIX DU FILS *(conciliante)*

D'accord, je vais rester encore un peu afin de t'apaiser, mais, si rien ne se passe, tu dois me promettre de suivre à la lettre les prescriptions de ton médecin.

VOIX DU PÈRE
Oui… mais ne comptons pas trop là-dessus. La machine applique la Loi avec une inébranlable assiduité.

VOIX DU FILS
Quelle Loi?

VOIX DU PÈRE *(sibylline)*
La seule qui compte…

> *Les personnages se taisent pendant un long moment. Faiblement, le bruit de roues qui grincent brise le silence.*

VOIX DU PÈRE *(excitée mais qui chuchote néanmoins)*
Que t'avais-je dit? C'est ça. C'est d'une rigoureuse ponctualité.

VOIX DU FILS
Ce n'est sans doute qu'un préposé poussant un chariot qui a besoin d'huile.

VOIX DU PÈRE
Il n'y a pas de préposés à cette heure. Tu verras bien ce que c'est quand la chose se rapprochera. Je ne suis pas fou. Ça vient par ici d'ailleurs. Écoute.

> *Le bruit se rapproche, comme plus tôt les pas des gardiens. Il est de plus en plus fort.*

VOIX DU PÈRE
Éteins la lumière. (*Cette fois-ci, le fils obtempère du premier coup.*) Taisons-nous.

> *Le bruit est maintenant tout près. Puis, plus rien. La machine semble s'être arrêtée juste devant la porte de*

la chambre du vieux personnage. Soudainement, une lumière vive est allumée. Elle éclaire cruellement les personnages qui sursautent et qui, ensuite, restent pétrifiés, les yeux ronds, la bouche ouverte, dans l'attente de ce qui s'en vient. Du côté des coulisses, il y a du remue-ménage. On dirait que des ouvriers s'affairent avec des outils. Le tintamarre dure un instant. Les murs de la scène s'ébranlent. Une ouverture se crée au milieu du grand mur faisant face aux spectateurs. Deux gardiens écartent les deux pans de chaque côté des coulisses. Royale, gigantesque, la machine attend derrière. Les deux gardiens viennent la pousser, en ahanant, jusqu'au milieu de la scène, tout près des personnages. Le directeur la contourne et s'avance par devant, les mains croisées dans son dos. Il a un air cérémonial. Il est soigneusement vêtu et peigné. Une grosse moustache pend sous son nez.

LE DIRECTEUR *(qui s'adresse à la salle)*
Me voilà très heureux de constater qu'il y a parmi nous un visiteur *(il pointe le fils)* qui pourra admirer l'ingéniosité de l'appareil. Il est primordial pour notre établissement de faire connaître l'œuvre du fondateur Bill Guterbenger — que j'ai l'insigne honneur de remplacer, comme vous le savez. La réputation de cet homme grandiose n'est plus à faire dans notre communauté. Nous avons profité de sa bonté alors qu'il était vivant et les bienfaits de ses gestes perdurent encore après sa mort. Il est vrai que les signes de sa mémoire sont de moins en moins perceptibles pour les nouvelles générations, l'oubli tissant pernicieusement sa toile. Son image s'efface, me direz-vous, mais nous veillons à ce que le passé reste intact. Nous lavons constamment son buste à l'entrée du terrain de l'hôpital sur lequel viennent fienter des pigeons infatigables. Nous placardons son visage sur les murs de la ville, même si de jeunes anarchistes s'amusent à barbouiller

ou à arracher les affiches. Nous faisons circuler sa pensée dans les journaux locaux que nous imprimons, bien que plus personne ne les lise depuis la révolution numérique. À titre de directeur, il est de mon devoir de rappeler à tous le rôle que le fondateur joue dans leur existence. Je remplis ma fonction avec une foi inébranlable en ces temps difficiles d'idolâtrie et d'indifférence. Ici, entre les murs de l'hôpital, nous accompagnons les mourants jusqu'à la fin, à l'abri des influences extérieures. Dans sa grande prescience, le fondateur a prévu le destin de tous les membres de sa communauté. Nous l'exécutons grâce à l'appareil que voici qui nous permet de corriger les erreurs commises par les sujets pendant leur vie active. Dans le bureau du fondateur — que j'occupe avec la plus grande déférence — se trouve un coffre-fort dont je suis le seul à connaître la combinaison. Pour chaque citoyen de notre communauté, il y a une fiche manuscrite. La graphie est indéchiffrable si on n'a pas l'habitude de lire cette écriture, mais, en tant que directeur, j'y parviens facilement, car j'ai appris à écrire de façon identique le même genre de prophétie pour les naissances posthumes. Avec moi *(il fouille dans les poches de son pantalon)*, j'ai apporté la première fiche que j'ai écrite moi-même il y a de cela plusieurs années déjà *(il sort un papier et le déplie)*. Regardez comme l'écriture a des apparences hiéroglyphiques *(il montre le papier aux spectateurs, mais, de là où ils sont, ils n'aperçoivent qu'une grosse tache noire)*. Voyez-le vous aussi *(il montre le papier au père et au fils. Le père ignore le directeur et regarde ailleurs; le fils, très docile, comme si la chose l'intéressait, veut se lever pour s'approcher, mais un gardien le retient brusquement. Assis, le fils tend le cou pour mieux voir)*. Sur le papier, on lit un verdict. Qu'est-il écrit, monsieur le visiteur?

VOIX DU FILS *(qui bredouille)*
Je... je ne peux pas... Je... je n'y arrive pas.

LE DIRECTEUR *(qui s'adresse de nouveau à la salle)*
Il est fréquent que, par une sorte de résistance psychique,
l'appelé n'arrive pas à décoder le message. C'est désagréable,
je l'avoue, car cela entache le rituel prévu par la Loi de notre
établissement. Je dois alors annoncer moi-même le verdict.

VOIX DU FILS *(extrêmement docile)*
Je m'excuse…

LE DIRECTEUR *(continuant son discours sans plus se soucier du fils)*
Très distinctement, il est écrit, comme si cela avait été gravé
dans la pierre pour l'éternité : « Honore ton géniteur et sois
reconnaissant. »

> *Nerveux, le fils cherche le regard de son père, qui semble
> absent et détaché du discours du directeur.*

LE DIRECTEUR
Une fois le verdict lu et annoncé à la personne concernée,
c'est-à-dire le visiteur *(il pointe le fils)*, il faut réveiller le mécanisme de l'appareil *(un gardien branche un fil dans une prise électrique)*. Écoutez-le se mettre en marche. Le vrombissement de
son moteur montre sa puissance *(afin que la salle l'entende, le
directeur parlera plus fort tant que la machine sera en action)*. Il
faut attendre un moment que ça se réchauffe. Sous sa couverture métallique, une série complexe de turbines et d'engrenages font leur travail. Le système a été entièrement conçu
par le fondateur. Ce sont les meilleurs ingénieurs de la communauté qui l'ont réalisé à l'époque. Mais les plans de la
conception ont malheureusement disparu, ce qui rend son
entretien impossible étant donné sa complexité ; même nos
scientifiques les plus chevronnés n'arrivent pas à comprendre
son fonctionnement. Si on se risquait à ouvrir le ventre de la
machine pour resserrer ne serait-ce qu'un boulon, on pourrait causer un bris. Cela serait catastrophique. Mieux vaut

tout laisser tel quel. Et croyez-moi, je veille au grain. Le fondateur, qui prévoyait tout, a privilégié, au moment de l'assemblage originel, des pièces de grande qualité, quasi inusables. L'appareil fonctionne toutes les nuits depuis longtemps et il ne montre à peine que quelques petits signes de fatigue, mais rien de trop inquiétant. Il a été conçu pour durer et durer encore. C'est un brave animal *(il le caresse amoureusement)*. Voilà. Il est prêt maintenant pour la lecture du verdict. Il faut le contourner par l'arrière *(les spectateurs ne voient plus le directeur et l'entendent difficilement même s'il crie très fort)*. Ici, il y a une fente dans laquelle on doit glisser le papier, le texte vers le haut. Je l'introduis maintenant *(pendant que le directeur fait sa démonstration, les deux gardiens, au fond de la scène, discutent entre eux et rient; indisciplinés, ils se chamaillent et, très vulgairement, ils font semblant de se sodomiser à tour de rôle tandis que le directeur a disparu derrière la machine)*. Vous apercevez maintenant une lumière bleue éclairer la partie centrale ainsi que le bruit d'un lecteur optique *(le directeur vient se replacer au-devant de la scène)*. Une fois le message enregistré, plus rien ne peut stopper le processus qui s'enclenche. Moi, même si j'ai l'habitude de ce spectacle, je deviens chaque fois très fébrile à ce moment précis. Gardiens! *(Les deux hommes, qui étaient distraits, sursautent et se mettent promptement au garde-à-vous.)* Amenez l'appelé!

> *Les gardiens s'approchent du fils, qui suivait très attentivement le discours du directeur. Apeuré, il a un geste de recul, mais les gardiens, qui ont l'habitude de faire face à de la résistance, vont rapidement. Ils attrapent chacun un bras du fils et le soulèvent. Sa chaise est renversée. Ils l'amènent sur le devant de la scène, à côté du directeur. Le fils se débat, mais les gardiens, qui sont beaucoup plus costauds que lui, parviennent facilement à l'immobiliser. Ils le serrent si fort qu'il grimace de douleur. Pendant ce temps, le*

père ne semble pas perturbé par l'empoignade. Il fixe toujours le vide, absent.

Voix du fils
Mais attendez… Aïe ! ça fait mal ! Pas si fort… Vous faites une erreur… C'est pour les vieux, ce truc… Moi, je suis jeune… Et puis, je ne suis même pas supposé être ici…

Le directeur
Ne blasphémez pas, je vous prie. Le verdict ne se trompe jamais.

Voix du fils
Je suis peut-être un peu concerné, d'accord, mais nous sommes tous le fils d'un père. Et puis, ça me semble plutôt une prescription, pas un châtiment. Croyez-moi, je vais m'appliquer à la respecter si vous me relâchez. Il n'est pas nécessaire de me mettre dans la machine pour qu'elle fasse je ne sais trop quoi avec moi. Aïe ! vous là, pourquoi vous me tapez ?

Le directeur *(qui ignore la dernière question et poursuit, imperturbable, ses explications)*
Devant, une poignée sert à ouvrir un tiroir assez grand pour recevoir un corps. Il y a des sangles pour fixer les membres et la tête solidement. Déshabillez-le *(les gardiens retirent brusquement les vêtements du fils et déchirent certains morceaux ; ils le frappent avec une matraque quand il se débat trop)*. Il doit être nu. Voilà. Attachez-le solidement. Très bien. Reculez-vous maintenant.

> *Les gardiens retournent se poster au fond de la scène. Blasés, ils continueront de parler et de rire pendant la démonstration. La machine ne les impressionne plus et, de toute évidence, les palabres du directeur les ennuient.*

VOIX DU FILS *(qui s'adresse faiblement au directeur pour ne pas être entendu par les autres personnages, dont son père surtout. Le bruit du moteur de la machine rend malheureusement ses paroles inaudibles pour les spectateurs; quant au directeur, il se penche vers le fils pour l'écouter).*
C'est très drôle, votre blague. Je vous jure. C'est un coup bien monté. Mon père est un excentrique. Il a de ces idées par moments. En vieillissant, toutefois, il perd de plus en plus le contact avec la réalité. Vous savez ce que c'est, je ne vous apprendrai rien sur la sénilité et ses effets. Bien qu'il n'ait plus toute sa tête, il peut encore être très convaincant. C'est un manipulateur hors pair. Dans quoi il vous a embarqué, je ne saurais trop le dire, et sans doute, pour les bienfaits de son traitement, jugez-vous qu'il est bon de matérialiser ses idées, même les plus tordues. Sachez qu'il ne prend pas ses médicaments avec assiduité. Il vient de me l'avouer. Je ne veux surtout pas, monsieur le directeur, remettre en cause votre jugement professionnel, mais je serais heureux de recevoir un petit signe de votre part, le froncement d'un sourcil, un clin d'œil, un mot discret, qui m'indiquerait, à l'insu de mon père, que vous êtes de connivence avec lui. Car je dois vous avouer que je suis terrifié présentement. J'apprécierais beaucoup que vous me rassuriez… Mais j'y pense… Aurais-je oublié un versement? Ce ne serait pas dans mes habitudes. Si c'est le cas, je vous rembourserai sur-le-champ, avec les intérêts. En double, si vous le souhaitez, pour les désagréments qu'aurait pu vous occasionner ma stupide distraction.

LE DIRECTEUR *(qui s'adresse de nouveau à la salle)*
Dans la procédure qu'il nous a laissée, le fondateur précise qu'il est important d'écouter les dernières volontés de l'appelé. Cela confère au rituel mécanisé une essentielle touche d'humanité. Avec l'expérience que j'ai acquise, je puis vous confirmer que rien de très instructif ne sort de ces dernières paroles. Elles me déçoivent toujours. Ce sont tantôt des

plaintes, tantôt des insultes. Certains malins tentent d'échapper à leur sort en espérant me corrompre. Celui-ci vient tout juste de s'y essayer. Enfin, il faut mentionner que plusieurs de nos patients dans cet hôpital sont tellement végétatifs qu'ils ne réalisent même pas ce qui leur arrive et ne disent rien. (Si vous me permettez une confidence, je dois admettre que ces derniers cas représentent la partie la moins stimulante de notre travail.) La variété des réactions montre combien la deuxième étape — celle après la lecture du verdict — n'est pas superflue. Face à la mort, l'homme, quand il est conscient qu'elle survient, réagit par instinct de survie. Hystérique, il veut échapper à son sort par tous les moyens, de telle sorte que son jugement est suspendu. Jamais il ne va réfléchir à la leçon du verdict et accepter philosophiquement son destin. C'est pourquoi il faut le lui rappeler jusque dans son corps afin de préserver le sens de l'affaire. Je vous explique comment. Lorsque la machine est prête, le tiroir se ferme automatiquement (*c'est exactement ce qui se passe au moment où le directeur le dit. Le fils proteste, mais ses cris ne traversent pas la cloison métallique*). Un mécanisme complexe s'enclenche. L'appareil est saisi d'un tremblement. La partie inférieure, le corps, et la partie supérieure, la tête, se séparent. Vous remarquez que la tête est en suspension dans les airs. On pourrait croire qu'entre les deux blocs il y a du vide, mais, en réalité, c'est une matière gazeuse qui s'y retrouve de façon très condensée. Celle-ci est produite par une génératrice assez bruyante qui est cachée sous la carapace grise. Sur le côté droit, on aperçoit le bout d'un tuyau, orienté vers le centre, d'où le gaz s'échappe. Gardiens, éteignez les lumières. (*On exécute l'ordre aussitôt.*) Dans le noir, un halo lactescent irradie tout autour. C'est l'aura de la machine. En son centre, le gaz a, lui, une couleur bleutée phosphorescente ; si je tente de passer ma main dans son champ (*le directeur doit se mettre sur le bout des pieds pour atteindre la zone*), je sens la poche, qui épouse la forme de ma main, résister ; je ne peux pas m'y introduire parce que l'appareil rejette les corps étrangers au verdict. Écoutez maintenant ces gargouillements qui viennent d'en bas. La partie inférieure se prépare à éjecter l'appelé dans le champ bleuté après avoir analysé ses dimensions et exécuté des ajustements internes sophistiqués et primordiaux. Survient le corps qui baigne, dirait-on, dans une espèce de liquide amniotique. Des jets électriques traversent le champ bleuté ; ils tatouent le message du papier, « Honore ton géniteur et sois reconnaissant », sur la peau de l'appelé, avec des caractères hébraïques. Cela donne un tour biblique au rituel, assez déconcertant par ailleurs. Le premier tatouage est inscrit sur le dos. Ensuite, il y a un mouvement dans le champ gazeux. Le corps est retourné. Il y a encore des jets électriques. La parole du fondateur est marquée cette fois-ci sur la peau du ventre. La machine décomprime l'air dans ses tuyaux, puis sa tête, qui était en suspension, se rabat sur la partie inférieure. Par conséquent, le corps-texte est ravalé, et l'appareil tombe subitement en arrêt. L'appareil n'irradie plus. Cela plonge la salle dans le noir. Mais ne vous méprenez pas, le processus n'est pas achevé pour autant. Il reste l'exécution, qui se mettra en marche après le réchauffement d'autres circuits. Si la chose se terminait ici, ce serait, en effet, peu convaincant. On aurait l'impression que le fondateur n'a inventé qu'une grosse imprimante capable de reproduire sur un homme le message qu'elle décode grâce à son intelligence artificielle… Ha ! voyez, le halo lactescent irradie de nouveau, l'intensité est faible pour le moment mais elle augmente progressivement. C'est un peu plus long qu'au début pour que la machine soit prête. Néanmoins, elle ne nous fait jamais trop attendre. Pour la suite des choses, la boîte métallique restera fermée. Il faudra que vous imaginiez ce qui se passe à l'intérieur. Sur le côté gauche, il y a deux boutons ; je dois appuyer sur l'un des deux pour activer une option. Il y a d'abord le mode automatique. C'est un mode imprévisible, étonnant. Depuis mon entrée en fonction, je n'ai jamais vu la machine se répéter. Elle se réinvente toujours d'une fois à l'autre. Ses possibilités semblent infinies. L'autre option est manuelle. C'est un peu comme si l'on se préparait un café. Il y a cinq sous-options : ébouillanter, incinérer, éviscérer, irradier et broyer. Il me faut de plus en plus souvent choisir la commande manuelle, non pas parce que les appelés le désirent et qu'ils le mentionnent dans leur testament — nous respectons les dernières volontés depuis toujours —, mais parce que l'appareil devient défectueux quand j'abuse du mode automatique plusieurs nuits de suite. Le problème est parfois mécanique. Des pièces s'enrayent. Nous devons alors tout éteindre, attendre quelques minutes pour que la batterie de dépannage se décharge et rebrancher le fil d'alimentation. La machine se reprogramme alors, le tiroir s'ouvre, avec l'appelé, qui espère trompeusement avoir échappé à la mort. Les gardiens viennent s'assurer que les sangles sont bien serrées. Je recommence depuis le début, en introduisant un autre papier dans le lecteur numérique à l'arrière. L'appelé aura un deuxième verdict en surimpression sur sa peau. Dernièrement, nous avons dû reprendre jusqu'à cinq fois l'exercice. L'appelé n'avait plus que deux grosses taches d'encre sur lui, au recto et au verso. Je dois avouer que, ce soir-là, l'impression désagréable que la mémoire du fondateur avait été salie m'a habité. Sinon, l'autre possibilité de bris est un bogue. L'intelligence artificielle n'arrive pas à déterminer l'exécution appropriée pour le corps qui repose dans son ventre. Rien ne se passe après que j'ai activé l'option. Quand cela se produit, je presse, après avoir attendu un peu, la commande manuelle et je choisis une sous-option au hasard. Ainsi, la démarche n'est que légèrement gauchie. Cette nuit, comme celui qui nous intéresse a été pris par surprise et qu'il n'a jamais formulé ses dernières volontés, je vais choisir l'option automatique. Cela vous donnera un meilleur spectacle, si l'appareil se comporte normalement. Je pense que nous serons chanceux *(le directeur colle une oreille contre la paroi de la machine).* Cela augure bien. J'entends des bruits rythmés ; il y a une fluidité dans les enchaînements. On dirait maintenant le glissement d'objets tranchants. Cela semble expéditif. *(Du côté opposé à celui où se tient le directeur, un panneau bascule et un sac-poubelle atterrit par terre comme s'il avait glissé dans une chute à déchets.)* Allons voir ce qui se passe là-bas. *(Le directeur ouvre le sac, qui était noué.)* C'est du joli.

Le directeur sort un morceau, un petit cube de chair sanguinolente, qu'il tient entre le pouce et l'index, et le montre à la salle tandis qu'un projecteur au plafond s'allume et éclaire le personnage pendant un bref instant. Il remet le morceau dans le sac et sort promptement dans les coulisses. C'est la fin de la démonstration. Les deux gardiens poussent la machine au fond de la scène. Un gardien revient ramasser le sac. Ils rapprochent les deux pans du mur du fond vers le centre. Bruit d'outils puis de roues qui grincent en s'éloignant. Silence. Le vieillard, qui s'anime enfin, ouvre sa lampe de chevet. Il n'y a aucune expression sur son visage. Provenant des coulisses on entend encore le grincement de roulettes mais, cette fois-ci, on semble déplacer quelque chose de beaucoup plus petit. Une infirmière à l'agréable silhouette entre sur scène par le côté cour. Elle arrive avec un chariot et s'approche du grabataire qui sourit. Elle lui donne un verre d'eau et des pilules, qu'il accepte de prendre sans rechigner, puis elle vient se glisser sous les draps à ses côtés. Elle enlace amoureusement le vieillard qui niche sa tête entre ses deux seins maternels. Elle éteint la lumière. On devine que les deux corps s'agitent comme si, peu à peu, ils luttaient de plus en plus férocement. Le grabataire semble jouir d'une étonnante vitalité.

Voix de l'infirmière *(autant de fois qu'il le faut)*
Oh oui ! monsieur Philippe, oh oui !

> *Les tremblements du lit font renverser la valise qui repose à son pied. Celle-ci s'ouvre et laisse s'échapper son unique contenu. La tête d'un mannequin ou d'un automate, comme sous le coup d'une guillotine, roule et tombe de la scène du côté des spectateurs.*

> *Fermeture des rideaux.*

DEUXIÈME MACHINE :
LE TRAITEMENT DE TEXTE

1

Derrière lui, dans un coin de la pièce, le téléviseur marche inutilement et diffuse sa lumière bleutée dans la pénombre, comme si cela avait été la seule raison pour laquelle l'inventeur l'avait allumé. Le volume du son a été réglé au plus bas. L'homme a une lumière frontale qui éclaire le travail de ses mains tandis que le téléviseur rayonne et que son aura couvre un champ plus large. Des corps terrestres, soumis aux lois de la gravité, pourraient ainsi se mouvoir dans son spectre sans trop s'empêtrer les pieds dans le désordre qui règne.

C'est la nuit, mais la vie s'anime néanmoins auprès de l'inventeur. Le chant des grillons est amplifié par le silence étale de la campagne plongée dans les ténèbres. La porte de la maison rustique a été laissée ouverte par négligence sur un espace aveugle mais sonore. Profitant de cette voie de communication extraordinaire en ces lieux sauvages, des insectes nerveux viennent se jeter sur les sources lumineuses ; ils se cognent contre l'écran du téléviseur et tournoient autour de la tête de l'homme, excités et comme rendus ivres par ces astres qu'ils arrivent à toucher avec leurs ailes. Au sol, quelques poules caquettent. Elles grattent le plancher de leurs longs doigts griffus, à la recherche de nourriture. Lorsqu'il fait un mouvement brusque ou qu'il éternue, prises de panique, croyant à un danger, elles s'envolent lourdement, puis retombent au sol, dans le calme rapidement revenu. Elles recommencent alors à agiter leurs têtes avec de petits coups saccadés. Les mulots qui s'aventurent dans les sentiers du labyrinthe et qui, au hasard d'un carrefour, croisent leur chemin, les laissent indifférentes.

Ce monde anarchique a néanmoins un ordre, une certaine harmonie. Chacun y trouve naturellement sa place. Sauf que, à l'occasion, tout cela est chamboulé avec la force d'un cataclysme. Un vrombissement emplit le ciel. La terre tremble. Un avion passe et effleure le toit de la maison. Ses ailes et sa queue, qui sont éclairées par une succession de points lumineux, traversent l'espace comme une traînée de sang. La première fois que l'inventeur a entendu ce monstre passer au-dessus de sa tête, il avait cru à un crash ; il s'était sauvé en courant dans la crainte de devenir la victime collatérale d'un grave accident. Il avait imaginé les décombres de sa maison emportés avec les restes d'un Boeing 747. Mais maintenant qu'il a l'habitude de ces atterrissages à proximité de ses terres, il n'a plus l'impression d'entendre chaque fois les trompettes de l'Apocalypse. Ce n'est cependant pas le cas des poules qui l'entourent. La même peur atavique envahit leur conscience limitée quand un avion secoue la planète.

•

4 octobre 1975. Inauguration de l'aéroport international de Mirabel

Une fourgonnette de Radio-Canada roule sur l'autoroute 15 vers le nord. C'est un grand jour pour Montréal. On annoncera, un peu avant midi, l'ouverture d'un nouvel aéroport international, qui devrait, selon les prévisions des spécialistes, supplanter celui de Dorval, jugé trop petit. Pour l'occasion, plusieurs personnalités influentes se sont déplacées, des politiciens, des ministres, des représentants étrangers et des invités de marque. Juste avant que n'atterrisse le premier avion à Mirabel, un Boeing 747 d'Air Canada, le premier ministre Pierre Elliott Trudeau doit prononcer une allocution dans le grand hall de l'aérogare. Dans la première rangée, des sièges ont été réservés pour le maire de Montréal, Jean Drapeau, et pour le premier ministre du Québec, Robert Bourassa. Les deux premiers ministres et le maire, qui forment un triumvirat, ont développé un attachement indéfectible depuis la crise d'Octobre ainsi qu'une haine commune contre les indépendantistes québécois.

La société d'État doit filmer les événements et diffuser un reportage en direct. L'émission spéciale sera aussi reprise au téléjournal en soirée, dans une version condensée, ainsi que plus tard dans la nuit, intégralement. Comme c'est souvent le cas pour des événements extraordinaires qui engagent les gouvernements tant fédéral que provincial, on aménage sur les lieux de tournage un petit studio d'enregistrement dans lequel sera lu exceptionnellement tout le bulletin d'information. À cet effet, la direction de Mirabel a prévu une salle pour que l'équipe de télévision s'installe à proximité du grand amphithéâtre. Les deux techniciens (le caméraman — qui est aussi le conducteur — et le réalisateur) transportent tout le matériel nécessaire à l'arrière de la fourgonnette. Parmi les fils électriques, consoles, bandes de pellicule, projecteurs, gît Bernard Derome, le présentateur vedette de Radio-Canada. Pour l'instant, il est désactivé afin d'économiser l'énergie de ses piles. Les patrons insistent pour que le robot soit employé avec la plus grande parcimonie possible. C'est une directive que respectent scrupuleusement les techniciens, car les sanctions sont très sévères pour ceux qui n'appliquent pas la marche à suivre avec l'illustre reporteur. Et le licenciement n'est pas la pire d'entre elles.

Avant d'arriver dans l'aéroport, l'équipe de la télévision franchit un important barrage militaire. Même si le logo rouge de Radio-Canada (une espèce de ruche) est peint sur les flancs de la fourgonnette, on demande aux techniciens de montrer leurs accréditations. Un soldat exige même qu'on lui ouvre les portes à l'arrière du véhicule. Il fouille le chargement et reste imperturbable lorsqu'il exhume de sous les fils et les câbles le visage cireux de Bernard Derome.

Le ministre de la Sécurité publique a exigé qu'il y ait un contrôle serré à l'aéroport, car il craint des perturbations populaires, voire des actes de terrorisme. La construction de Mirabel n'a pas fait l'unanimité dans la population. Le gouvernement avait longuement tergiversé au sujet de l'emplacement. Un an avant que ne commencent les travaux, le lieu du site était encore incertain. On hésitait entre Toronto et Montréal. Et puis, une fois la décision enfin prise de le construire au Québec, des fonctionnaires du ministère des Transports évaluaient toujours, quelques semaines avant la première pelletée de terre, la possibilité de transformer l'aéroport militaire de Saint-Hubert en aéroport commercial. Cela aurait eu l'avantage de rester à proximité de l'île de Montréal sur la rive sud plutôt que d'aller dans les Laurentides, à presque une heure de voiture de la métropole. Mais, pour toutes sortes de raisons, il fut décidé que l'aéroport serait construit à Mirabel sur le site du village de Sainte-Scholastique et sur les terres agricoles environnantes. Aujourd'hui, plus d'une centaine d'expropriés en colère se dirigent à pied vers l'aéroport pour manifester contre l'insensibilité du gouvernement fédéral. Les militaires bloquent les accès routiers à ces gens dont la vie a été détruite ; on les refoulera loin sur les terrains spacieux du gigantesque aéroport, sous le regard avisé des mitraillettes. Les politiciens ne les entendront pas et pourront boire tranquillement leur champagne.

Deux jeeps de l'armée escortent la fourgonnette jusqu'à l'aérogare ultramoderne. De leur point de vue horizontal, les techniciens n'ont qu'un vague aperçu du gigantisme de Mirabel. Les pistes d'atterrissage et les voies de circulation leur semblent néanmoins couvrir un territoire infini ; de tous les aéroports qu'ils ont vus — et ils sont nombreux puisqu'ils ont accompagné maints correspondants à l'étranger durant leur carrière —, celui-ci est le seul à être situé hors de la grande ville, comme perdu à la campagne, à ciel ouvert.

« C'est tout juste si les vaches ne viendront pas brouter entre les avions posés au sol, remarque le caméraman.

— Le gouvernement du Québec ne voulait pas qu'on construise l'aéroport ici, répond le réalisateur. Outre les expropriations, le projet sacrifiait des terres parmi les plus riches de la province. J'espère que notre deuxième équipe réussira à nous donner des images des fermiers de la défunte Sainte-Scholastique. Je redoute que l'armée lui bloque le passage pour se rendre jusqu'aux manifestants.

— Cela ferait un beau contraste avec le faste clinquant des gros bonzes à l'intérieur… Oh ! Tu as entendu ? Derome bouge derrière.

— Comment ça ? Il est désactivé. J'espère qu'il ne nous fera pas un mauvais coup. Pas ici. Loin de la grande Tour. S'il est défectueux, on sera dans le pétrin.

— Ne t'énerve pas. Je te gage que le petit soldat a accroché un bouton en fouillant pour trouver une bombe. »

Le réalisateur se fraye un chemin jusqu'au robot tandis que la fourgonnette roule toujours, mais à faible vitesse. Derome tente maladroitement de se sortir des fils et des câbles dans lesquels son corps est emmêlé. Le réalisateur le soulève un peu et appuie sur un bouton entre les deux omoplates. Derome se rendort après avoir dit bonsoir aux dames et aux messieurs.

•

L'idée de construire un deuxième grand aéroport international à Montréal avait germé dans les esprits à la fin des années soixante. Le transport aérien connaissait alors un essor fulgurant. Les avions étaient de plus en plus gros et de plus en plus performants. Sorti victorieux de la Seconde Guerre mondiale, le monde occidental vivait dans l'euphorie et l'abondance. On ouvrait les frontières aux hommes et aux marchandises. Il n'y avait que l'Union soviétique qui assombrissait le tableau, mais la main invisible du capitalisme ne doutait pas de sa victoire sur le socialisme. Convaincue qu'elle pouvait jouer un rôle central dans cette dynamique, surtout depuis le succès de l'Exposition universelle de 1967, la ville de Montréal voulait profiter de sa position géographique privilégiée pour devenir la porte d'entrée principale sur le continent nord-américain. Il n'y en avait alors que pour Boston et Toronto. Mirabel offrirait une réelle compétition à ces deux métropoles et, à la longue, les écraserait. Mais, déjà, entre 1969 et 1975, entre les planches à dessin et l'inauguration de l'aéroport, Toronto était devenue le centre économique du Canada, loin devant Montréal. Selon certains économistes, cela augurait très mal pour Mirabel. Le gouvernement fédéral traitait de pessimistes ces voix discordantes, certainement parce qu'il ne voulait pas perdre la face après avoir investi autant d'argent et d'efforts dans ce projet titanesque.

•

Au XIXᵉ siècle, après les rébellions des Patriotes, le gouverneur général lord Durham avait écrit, dans son rapport qui expliquait à sa Majesté d'Angleterre la cause des insurrections au Bas-Canada, que les Canadiens français n'avaient pas le génie anglais pour les affaires. Il les décrivait comme de mauvais paysans illettrés très peu entreprenants. La misère dans laquelle ils croupissaient était congénitale. Par le fait même, ils ne pouvaient qu'être dominés par les Anglais, qui, surtout sur le plan économique, étaient bien supérieurs à eux. Ils finiraient tôt ou tard par être assimilés à la culture du conquérant, concluait-il. Il ne fallait simplement pas brusquer les choses. Le temps ferait son œuvre. Il avait raison.

•

Affairés à installer leur équipement, les techniciens n'ont pas vu arriver tous les dignitaires. Chacun d'entre eux était venu à Mirabel en utilisant des moyens impressionnants. On ne lésinait pas sur les mesures de sécurité. Quelques-uns avaient pris le chemin des airs, à bord de leur avion ou de leur hélicoptère privés. Diriger leur atterrissage avait été l'occasion d'une répétition générale pour Mirabel et sa tour de contrôle avant que ne se pose le premier avion commercial, point culminant de la cérémonie, une fois que les discours seront terminés. Ceux qui étaient arrivés plus modestement par voie terrestre, en limousine, avaient mobilisé la Sûreté du Québec pour les escorter.

Alors que l'aérogare fourmille d'hommes en cravate et de femmes endimanchées, Bernard Derome est assis derrière son pupitre dans une salle close. Devant lui, une pile de feuilles blanches reflète ses pensées. Sa tête tombe entre ses épaules, comme s'il dormait. Le réalisateur attend toujours la dernière minute, juste un peu avant le décompte qui annonce le début de l'émission, pour le mettre en marche. Pour l'instant, il a d'autres chats à fouetter et ne se préoccupe pas de la mécanique du robot. Les moments qui précèdent la mise en ondes sont d'une très grande intensité. Il doit régler mille et un détails tous plus importants les uns que les autres puisqu'il est seul pour assumer, sur le plateau de fortune, l'éclairage, le son et la production. Il vient tout juste de mettre fin à une conversation téléphonique avec d'autres réalisateurs restés dans la Tour, située à l'est de la métropole, sur le boulevard Dorchester, dans l'ancien Faubourg à m'lasse. Afin qu'il puisse se mouvoir tout en parlant à ses superviseurs, le fil du téléphone en serpentin est extrêmement long ; le fil le suit partout entre les appareils, la baie de contrôle, les caméras sur trépied, les moniteurs et les projecteurs. Sur l'autre oreille, il a un talkie-walkie qu'il coince avec son épaule. Par l'intermédiaire de cet appareil, on lui confirme que l'armée a permis que l'on filme les manifestants dehors, mais à distance. Il est impossible d'interviewer les expropriés. Même avec le zoom de la caméra, les corps n'auront qu'une dimension lilliputienne à l'écran.

« On ne peut même pas lire leurs pancartes d'où l'on est. Si les militaires lâchent du lest, je me rapprocherai seul ou avec mon caméraman. Je voudrais bien avoir une interview.

— Eux, ils ne pourraient pas venir vers toi ? Les militaires ne leur tireront quand même pas dessus.

— À la périphérie de l'aéroport, il y a une imposante clôture en treillis haute de deux mètres avec des fils barbelés. Un militaire m'a dit qu'elle est électrifiée. Les manifestants sont de l'autre côté. Il est impossible pour eux ou pour moi de la franchir.

— O.K. Aussitôt que tu es installé, nous nous mettrons en lien. Préviens nos superviseurs de tes problèmes. Moi, je vais en informer Derome par le télésouffleur. Prépare ton journaliste. Il interviendra dans le reportage après les discours quand l'avion se posera. Il y aura des temps morts à combler. Le processus de l'atterrissage et du débarquement sera long d'après ce qu'on m'a dit. »

À l'extérieur de l'aérogare, stationnée le plus près possible du studio entre les deux jeeps de l'armée qui l'avaient escortée, la fourgonnette de Radio-Canada déploie dans les airs, à partir de son toit, une antenne gigantesque qui présente, à son sommet, une espèce de soucoupe avec, au milieu, un dard pointu. Cette antenne est rétractable. Quand la fourgonnette roule, elle est repliée et prend peu de place. C'est grâce à elle, grâce aux ondes qu'elle émet et qu'elle reçoit, que la communication avec la Tour est possible. Les autres journalistes à l'extérieur ont, eux aussi, une fourgonnette et une antenne similaires en lien avec le premier véhicule dont elle constitue le prolongement. À partir du moment où l'on transmet des images en direct, la fourgonnette principale doit être reliée par des câbles au studio improvisé. Rompre une partie de ces liens stopperait tout le processus, fragile par conséquent.

C'est maintenant presque l'heure du reportage. Le réalisateur vient de mettre Derome en marche en appuyant sur le bouton entre les omoplates. Le robot s'anime. Il redresse sa tête. Ouvre les yeux. Sourit. Ses deux mains avancent lentement vers la pile de feuilles sur le pupitre et la saisissent. Grâce aux projecteurs et aux rideaux tirés ici et là, le teint du robot paraît naturel à l'écran, alors que, dans l'air ambiant, sa peau caoutchouteuse semble irréelle. Cette texture synthétique, fabriquée minutieusement en laboratoire, épouse à merveille l'œil de la caméra, contrairement à la peau humaine qu'il faut camoufler sous d'imposantes couches de maquillage pour éviter qu'elle n'ait une apparence monstrueuse dans le téléviseur. Un petit écouteur en forme de coquillage logé dans l'oreille droite du robot joue le thème musical du bulletin. Le réalisateur entame le décompte habituel. « Cinq, quatre, trois… » Le « deux » et le « un » sont tus. Il fait le signe avec ses doigts. Le robot est traversé par une pulsion électrique puis il commence à faire ce pourquoi il a été créé : « Bonjour mesdames et messieurs. Bienvenue à cette édition spéciale du bulletin télévisé du midi qui vous parvient de l'aéroport international de Mirabel… »

Au moyen du télésouffleur, le réalisateur demande au robot de lire les manchettes puis d'annoncer tout de suite que la cérémonie d'ouverture est commencée et que le premier ministre est sur le point de prononcer son discours.

•

Sous des applaudissements nourris, le premier ministre du Canada s'avance sur la tribune et salue la foule. Il porte un complet beige pâle, ce qui le distingue des autres hommes tous vêtus de noir ou de couleurs sombres. Il a le regard perçant d'un aigle. Son apparence physique est soignée. Il a un port altier et respire la bonne forme physique d'un homme qui

mène une vie saine. Son discours passe de l'anglais
au français selon une logique que lui seul comprend.
Il dit des choses différentes dans les deux langues.

(Note de l'auteur : les passages en anglais ont été coupés.)

PIERRE ELLIOTT TRUDEAU
C'est avec orgueil que je me présente devant vous. Oui, avec
orgueil. Je le dis sans complexe. N'est-ce pas le sentiment qui
doit nous habiter à la vue de cet aéroport ultramoderne que
nous inaugurons aujourd'hui ? Encore une fois, l'homme
s'est surpassé. Notre nation doit en être fière. Les autres
grandes métropoles seront bientôt béates d'admiration et
envieuses quand elles viendront poser leurs avions ici, à
Mirabel. Cet aéroport, je n'en doute pas, deviendra le lieu
de transit le plus important du trafic aérien en Amérique du
Nord. Bien sûr, sa position géographique est privilégiée pour
les vols européens, qui doivent se ravitailler en carburant
après la traversée de l'Atlantique, mais que dire au sujet de sa
taille, de sa perfection technique et de la beauté architectu-
rale de son aérogare. N'est-ce pas cela qui, d'emblée, vous
surprend aujourd'hui ? N'a-t-on pas l'impression, dans ce
grand hall où nous nous trouvons réunis, de déjà voler, de
n'être plus soumis à la pesanteur terrestre ? Les parois vitrées
qui nous entourent créent une ouverture sur l'empyrée. C'est
comme si nous nous y trouvions, comme si nous étions aspi-
rés dans les airs. Moi, j'en éprouve un vertige, cela me grise
de me savoir l'égal des dieux.
Oui, il y a, dans Mirabel, une victoire prométhéenne. Ici, le
métal ne pèse plus. Tout devient immatériel. L'architecture
de l'aérogare elle-même est aérienne, car elle reproduit et
annonce le décollage du long-courrier qui vous transportera,
grâce à ses puissants moteurs, aux quatre coins du monde. Il
faut saluer le génie civil qui domine les lois physiques. Il faut
saluer la science. Et reconnaître que les temps primitifs sont

derrière nous, tout comme le temps des superstitions. Non, il n'y a aucune chance que, moi, votre premier ministre, je vous mette en garde contre les dangers moraux de Mirabel. Je n'ai que faire de l'Ancien Testament et du catéchisme. Je ne crains pas la foudre du Tout-Puissant. Je le défie même. Je le dis haut et fort. Pour qu'il m'entende. Nous avons bel et bien élevé une tour de Babel. Mais la nôtre ne tombera pas, car elle est juste. Il est fini le temps où les peuples se repliaient sur leur barbarie et végétaient dans leur consanguinité débile. Il est fini le temps où nous nous imposions des limites arbitraires parce que l'inconnu nous faisait peur. Le monde s'ouvre. Ouvrons-nous pareillement à lui, citoyens canadiens. Voyageons. Découvrons l'autre. Parlons sa langue. Et accueillons-le aussi. La transformation de nos esprits et de nos corps qui résultera de ce métissage n'en sera que positive. Je vous annonce rien de moins qu'un nouvel humanisme, avec tout l'enthousiasme dont je suis capable et que j'espère contagieux.

Bientôt, l'aéroport s'activera. Il y aura de nombreux départs et de nombreuses arrivées. Des passagers de toutes les origines se croiseront dans un heureux mélange de couleurs et de langues. Plusieurs de ces voyageurs, nous en sommes convaincus, se déplaceront vers Montréal, la plus grande métropole bilingue de la planète, où l'Ancien Monde rejoint le Nouveau Monde, l'Europe, l'Amérique. Le transport routier sera facilité par la création de nouvelles autoroutes, dont la 13 qui reliera directement Mirabel à Dorval. Un train assurera aussi confortablement le transport des personnes vers le centre-ville. Constatez avec moi qu'aucun effort ne sera ménagé pour faire de ce projet une grande réussite. Lorsque je ferme les yeux *(le premier ministre le fait vraiment ; gros plan de la caméra radio-canadienne)*, je vois se concrétiser, dans les moindres détails, les idées des concepteurs, qui, depuis les années soixante, sont portés par ce rêve qui est devenu le mien mais qui est aussi le vôtre, sauf que vous, vous êtes éveillés. Sous peu, vous entendrez, bien réellement, un avion briser le silence originel du ciel. Ce ne sera que le début d'une manne qui tombera sur nous. La prospérité nous attend, grâce à Mirabel, je vous l'annonce.

Enfin, pour terminer, il me faut dire quelques mots moins prophétiques sur la construction de l'aéroport, qui, il est vrai, annonce le XXIe siècle. C'est avec la plus grande vigilance que son emplacement a été déterminé, cela afin de réduire au maximum les dérangements nuisibles. Vraiment, il faut le reconnaître, nous sommes dans l'ère postindustrielle, malgré ce que prétendent quelques philosophes et marxistes patentés, ennemis du capitalisme. Le gouvernement ne veut pas reproduire la brutalité de la révolution industrielle. Le XIXe siècle est révolu. Nous avons appris de l'Histoire. Mirabel est le résultat éthique du progrès.

•

Bernard Derome annonce la fin des discours aux téléspectateurs. Pierre Elliott Trudeau, le sbire de sa Majesté, retourne s'asseoir dans la première rangée. On voit la salle l'applaudir vivement. La caméra se promène. Derome identifie quelques personnalités, les ministres, les hommes d'affaires, et, par moments, y va d'un petit commentaire ; un tel, qui s'est remis d'une longue maladie, affiche une forme resplendissante, un tel autre cache mal son ennui. Le robot tue le temps. « Mais voilà qu'enfin, mesdames et messieurs, arrive le Boeing 747 d'Air Canada, dans un ciel radieux *(c'est ce qui apparaît à l'écran)*. Dans quelques instants, nous assisterons à son atterrissage, le premier à Mirabel. On sent la fébrilité dans l'aérogare. Aux seules fins de la démonstration, l'avion a décollé à l'aéroport Dorval, juste à côté. L'appareil a à peine eu le temps de prendre sa pleine ascension que le pilote a dû commencer les manœuvres de descente. L'avion se rapproche. Les trains d'atterrissage sont sortis. Ils touchent le sol. L'avion roule sur la piste. C'est réussi dans la douceur. » Pendant que l'avion circule lentement sur la voie asphaltée et qu'il se rapproche de son aire de manœuvre puis de service, le reportage alterne les images, commentées par Derome. On montre différents plans de l'aéroport, dont la tour de contrôle — où des ombres festoient dans la vigie —, et, à plusieurs reprises, intercalés, des plans de la salle et des convives, qui ont sablé le champagne. « Une des nombreuses innovations de Mirabel est l'absence d'aérogares satellites. Pour faire la liaison entre les quais d'embarquement et l'avion, on utilise un car transbordeur, une grosse voiture aux allures de boîte à savon. (*Le reportage s'attarde longuement sur cette partie du processus de débarquement; une caméra suit, d'assez loin, le trajet d'une espèce de réfrigérateur blanc surdimensionné, couché sur roues. La chose n'a pas de fenêtres sur les côtés; on doit s'y sentir enfermé comme dans un cercueil.*) Le car se rapproche lentement du Boeing 747. Il se hissera jusqu'à la porte de l'avion. Des suspensions s'allongeront automatiquement… dans peu de temps… cela devrait se produire bientôt… attendons encore un peu… » (*Il semble y avoir un délai anormal; image sur les convives refroidis et inquiets; retour sur le car transbordeur, encore immobile.*) Le réalisateur, qui est en communication perpétuelle avec la Tour de Radio-Canada, se fait engueuler :

« Mais que foutez-vous à Mirabel ? Que se passe-t-il là ? Ils savent que nous sommes en direct.

— Je ne sais pas trop quoi vous dire. C'est sans doute un bris mécanique.

— Derome, comment réagit-il ?

— Pour l'instant, il n'y a pas de bogue. Il est imperturbable. Il repasse en boucle des phrases vides.

— Encore trente secondes, puis, si rien ne se passe, tu enchaînes avec l'interview d'un exproprié.

— Euh… il n'y en a pas. Ils ne sont pas accessibles. L'armée nous bloque l'accès aux manifestants. On peut seulement les montrer de loin… d'assez loin même…

— Quoi ? Tu te fous de ma gueule ? C'est pas le Viêtnam ici. Tu dis à l'autre de se rapprocher coûte que coûte.

— Moui… On fera l'impossible… Oh ! mais attendez… Quelque chose se passe là. »

Un homme, raconte Bernard Derome, quitte le car transbordeur avec un talkie-walkie à la main. Il porte une veste jaune fluorescent, avec un « X » rouge sur le devant et le dos. Il contourne rapidement la voiture rectangulaire, investi par un sentiment d'urgence. Du point de vue éloigné que nous avons, il est impossible de voir ce qu'il fait ; de plus, il va sortir du champ de la caméra. Active-t-il une commande ? Appuie-t-il sur un bouton ? Tourne-t-il une manette ? Dieu seul le sait. Qu'importe. Il revient de sa mission, toujours en courant, et s'engouffre de nouveau dans le car transbordeur, qui, enfin, s'élève jusqu'à la porte de l'avion, dont il épouse parfaitement l'ouverture. Les pilotes et les hôtesses de l'air viennent s'asseoir fièrement dans la grande voiture ; quant aux passagers, inexistants pour l'heure, ils le feront bientôt à leur tour, dès que Mirabel entrera officiellement en fonction. Tout cela n'est que du théâtre. Devons-nous le rappeler ?

•

Malgré l'avertissement des militaires, dicté dans un mégaphone, le reporter s'avance avec son caméraman vers la clôture et les manifestants. Devant sa fourgonnette, d'où il observe tout, un autre réalisateur crie à ses collègues d'ignorer l'ordre et d'avancer. Son supérieur, qui est avec Derome dans l'aérogare, a été clair ; il ne faut reculer devant aucun obstacle. Les gens de la Tour exigent une entrevue. Alors, ils doivent foncer. Pour l'instant, ils peuvent compter sur l'effet de surprise. Les militaires ne s'attendaient pas à ce qu'on leur désobéisse. Ne sachant pas quoi faire d'autre pour arrêter les journalistes, ils répètent leur ordre sans succès, le temps qu'une nouvelle directive leur parvienne d'en haut.

Ce moment d'hésitation permet aux journalistes de s'approcher de la clôture et d'entamer une conversation avec les expropriés, un groupe d'une centaine de personnes, massées de façon compacte. Ils ont tous un air abattu, mais la colère les anime. Certains profitent de l'arrivée du reporter pour scander des slogans, les mêmes qu'ils ont écrits sur leurs pancartes, comme « Pet l'ignoble », « Mirabel, une injustice » ou « J'veux ma maison, ostie de voleurs ». C'est une véritable cacophonie, où s'entend le désespoir de ces laissés-pour-compte. Ils savent tous très bien que leur protestation est inutile et que les intérêts supérieurs du gouvernement ne se laissent guère émouvoir par leur détresse. Crier collectivement reste au moins une action positive, préférable au silence individuel, qui les conduirait à la dépression et, fatalement, au suicide.

« Y a-t-il un porte-parole parmi vous ? » demande le reporter, en tendant un microphone. Le groupe s'écarte pour laisser passer une petite vieille toute rabougrie aux lunettes épaisses. Elle porte une grande robe fleurie et un châle sur ses épaules. Les quelques pas qu'elle fait pour s'avancer sont pénibles, on doit la soutenir par les bras pour ne pas qu'elle tombe. Des hommes l'ont transportée sur leurs épaules pour l'amener jusqu'ici. Elle marmonne et est si inaudible que le reporter doit s'avancer et tendre l'oreille ainsi que son micro pour capter sa voix chevrotante. Elle brandit des documents sous ses yeux. « C'est son avis d'éviction, précise un gros fermier à moustache. Il y a, si vous lisez bien, les clauses de sa compensation, surchargées de critères, de sous-critères et d'exceptions. Même nos avocats, qui s'avèrent de plus en plus onéreux et qu'on ne pourra plus payer bientôt, interprètent difficilement cette logorrhée de bureaucrates. On voudrait nous flouer qu'on ne s'y prendrait pas autrement. » Presque imperceptiblement, la vieille, qui brandit toujours ses feuilles sous les yeux attentifs du reporter, calcule quelque chose ; entre ses lèvres, son souffle emporté par le vent, elle additionne, soustrait, multiplie, divise des chiffres, ceci étant la valeur de sa maison, cela le prix qu'on lui donne, le coût de son déménagement, des taxes municipales, de son loyer… Soucieux de la qualité de son reportage, le journaliste, qui veut comprendre ce que dit la vieille pour mieux en rendre compte et qui aimerait aussi que le micro enregistre correctement sa voix, s'approche encore plus près de la clôture, mais un peu trop cette fois. En vain, les « Attention » et les « Holà » fusent du côté des expropriés. Il s'appuie de la main contre la clôture, ce qui déclenche aussitôt une décharge électrique d'une rare puissance. Son corps est secoué par des tremblements. Il brûle de l'intérieur. Une fumée s'échappe par ses orifices, le nez, les oreilles, ainsi que par le bas de son pantalon. Des flammes bleues lèchent ses mains, ses épaules et le dessus de sa tête. Sous la violence des chocs, les yeux sont éjectés de leurs orbites ; dans les cavités, deux petites ampoules rouges éclatent. La chair des mains et du visage est vite carbonisée, montrant aux expropriés, tous stupéfaits, le squelette métallique du robot humanoïde qui se cachait dessous.

Ils n'ont pas le temps de se remettre de leur surprise que les militaires qui font le guet là-haut reçoivent l'ordre d'abattre le journaliste vivant qui reste. Le tireur d'élite vise le caméraman et lui tire une balle dans la tête avec une précision chirurgicale. Elle éclate comme un vulgaire melon. Des expropriés reçoivent des débris de chair, de cervelle et d'os. Quelques morceaux restent accrochés au treillis de la clôture. Cela fait un bruit de friture et dégage une odeur estivale de barbecue, qui se mêle à celle de toast trop cuit du robot en convulsion.

Les deux réalisateurs conviennent dans leur talkie-walkie qu'il n'y aura pas d'entrevue à diffuser.

•

L'invention

Bien qu'il soit fourbu, après avoir passé une nuit blanche à terminer son travail, l'inventeur n'a pas l'intention d'aller se coucher avant qu'un texte n'ait été produit automatiquement. Il veut récolter le fruit de son dur labeur. C'est toujours comme cela quand il se lance dans un nouveau projet. Il ne compte plus les heures ni les jours, absorbé par la tâche à accomplir jusqu'au bout. C'est à peine s'il mange, s'il change ses vêtements, s'il se lave. Il puise son énergie au plus profond de lui, dans des ressources que très peu de personnes exploitent. Le travail accapare tellement son attention qu'il en oublie le monde extérieur. Il est comme possédé par un esprit étranger. C'est à un point tel que lorsqu'il sent venir à lui une autre idée novatrice, il s'arrange pour couper tous les ponts et s'isole dans un endroit où l'on ne pourra pas l'interrompre et le déranger avec des ennuis. À la fin, quand tout est terminé et qu'il revient à la normale, il a l'apparence d'un loqueteux. Ses joues sont creuses. Une barbe hirsute bouffe son visage. Il a de profonds cernes sous les yeux et sa peau est jaunâtre. Il est sale et il pue la transpiration.

Devant lui, sur des tables de travail, deux machines à écrire — des Remington, des appareils entièrement mécaniques — sont reliées à une grosse boîte métallique beige, qui comporte un écran sur sa surface avant, en haut, au centre. On peut lire, sur l'un des côtés de la boîte, l'acronyme IBM (International Business Machines, le nom d'une grosse compagnie américaine). Sur l'une des machines à écrire, un senseur capte les impulsions des barres de frappe, actionnées par les touches à levier du clavier, et un émetteur traduit électroniquement cette activité à la grosse boîte métallique. Tandis que l'autre machine à écrire a une fonction inverse. Elle sert d'imprimante. Son clavier est inutile ; un senseur reçoit une impulsion qui actionne directement ses barres de frappe.

La grosse boîte métallique surchauffe si elle est allumée trop longtemps. Un ventilateur bruyant pousse constamment l'air chaud depuis l'arrière de la boîte, où on a prévu à cet effet une ouverture, protégée par une grille. Il doit d'ailleurs souvent éteindre la machine malgré lui, afin que le processeur ou les circuits électriques à l'intérieur ne s'abîment pas, ce qui serait très contrariant. Laisser refroidir périodiquement la machine a retardé quelque peu ses travaux, mais cela lui permettait de s'occuper de la basse-cour et de ramasser les œufs fraîchement pondus qu'il vendait au vieux propriétaire de la dépendance fermière qu'il habite. Cela lui donne un maigre revenu, mais comme il se contente de peu et qu'il a des économies, il réussit à s'en tirer de cette façon.

Pour sortir la grosse boîte de sa fourgonnette, il avait dû demander l'aide du propriétaire tant elle est lourde et encombrante. Ils l'avaient transportée de peine et de misère jusque dans le salon. Le plus difficile avait été de monter les quatre marches de la galerie puis de passer le cadre de la porte, à peine assez grand. Bien sûr, le vieil homme, qui n'avait jamais rien vu de semblable, avait posé des questions. Il s'était borné à lui répondre qu'il s'agissait d'un nouvel appareil, encore assez rudimentaire, qui permettait de stocker des informations et qui, l'espérait-on du moins, remplacerait un jour le papier. Ces explications avaient suffi au vieil homme, qui ne s'était autorisé qu'une simple remarque sur la légèreté de son journal, plus pratique que le poids de ce mastodonte. « Mais il y a des gens plus intelligents et instruits que moi qui sont payés pour penser à ces choses-là. Chacun son métier », avait-il conclu un brin sarcastique.

En réalité, la machine parle un langage binaire. Avec une série de 1 et de 0, c'est-à-dire avec la présence et l'absence d'impulsions électriques, elle transcode des informations et les archive sur son disque dur. Le procédé est assez élémentaire, mais, avec un peu d'imagination, ses applications ont des possibilités infinies. Pour l'inventeur, c'est le début d'une révolution technologique qui s'annonce. Le visionnaire qu'il est en a la certitude. Et il tient à exploiter tout de suite le potentiel de cette machine.

•

Il avait réussi à mettre la main sur une telle machine de façon illicite l'été précédent. Alors qu'il était allé à Ottawa, au Bureau des brevets, pour enregistrer l'une de ses inventions — une toupie qui défie les lois de la pesanteur —, il s'était lié d'amitié avec le fonctionnaire fédéral qui avait étudié son dossier et qui avait rempli les formulaires avec lui. Comme le fonctionnaire voulait prendre une pause pendant la procédure, il l'avait accompagné dans la cour arrière de l'édifice gouvernemental pour griller une cigarette. Pendant qu'ils discutaient de leur passion commune pour la physique quantique, de gros camions avec de grandes pinces métalliques pressurisées vidaient des conteneurs à déchets dans leur benne. Le bruit était assourdissant et l'odeur, écœurante. Dissimulée à l'ombre, à proximité des poubelles, dans un coin de la cour arrière, une grosse cage métallique, dont la porte était cadenassée, renfermait huit grosses boîtes empilées, quatre en dessous, quatre sur le dessus. Tout en devinant qu'il s'agissait d'autre chose, il avait d'abord eu l'impression que c'étaient de gros lave-linges, avant que le fonctionnaire ne lui donne des explications : « Ce sont des ordinateurs d'IBM, des prototypes encore peu performants et très encombrants. La compagnie est devenue le seul fournisseur du gouvernement. Tout cela s'est fait dans les coulisses, sans appel d'offres. Ceux que tu vois ici sont brisés. La compagnie doit venir les récupérer. IBM fait un peu tout en secret, car elle craint la concurrence et l'espionnage industriel, surtout de la part du KGB. Cependant, hormis celles qui ont surchauffé, je suis certain que peu de ces machines ont des bris majeurs. Tu connais la légendaire paresse des bureaucrates, qui sont portés de plus à la gaspille. À la moindre petite défectuosité, ils se débarrassent de leur ordinateur. Sans se soucier des dépenses, ils en exigent un neuf. »

Le fonctionnaire, qui — il n'en doutait pas — était enclin à la marginalité, prêt à enfreindre les règlements surtout lorsque les intérêts supérieurs de la science étaient en jeu, avait accepté de lui donner la combinaison du cadenas. Pendant la nuit, il était venu voler un ordinateur. Mais il avait sous-estimé leur poids ; seul, il n'arrivait pas à les soulever. Il avait dû se résigner à en faire basculer un, empilé sur un autre, dans la boîte de sa fourgonnette en espérant que le bruit n'attire pas l'attention des gardiens et qu'il ne briserait pas davantage la machine. Heureusement, personne ne vint pour l'arrêter, attiré par son tapage. Il put retourner à Montréal en roulant tranquillement sur la Transcanadienne avec le butin de son méfait, fébrile à l'idée des nouvelles perspectives qui s'offraient à son ingéniosité.

●

Le fonctionnaire avait raison. La machine n'avait effectivement pas grand-chose. Après avoir dévissé un panneau de la grosse boîte, il avait immédiatement constaté que le courant ne passait plus tout simplement parce qu'un fil électrique était sectionné. Il l'avait donc remplacé. Pessimiste, il avait d'abord cru que ce ne serait pas suffisant, mais, à son grand étonnement, la machine se mit aussitôt en marche après qu'il l'eut branchée. Elle s'avérait par surcroît très résistante, car, hormis une grosse bosse sur sa surface métallique, le choc qu'elle avait accusé quand il l'avait fait tomber dans sa fourgonnette n'avait causé aucun dommage. De toute évidence, ses organes internes étaient solidement soudés.

●

L'inventeur s'assied à l'une des tables de travail, devant la Remington qui envoie l'information à l'ordinateur. Aucune feuille de papier n'est installée sur le rouleau. Pourtant, il se met à taper un texte, écrit originalement à l'encre bleue dans un calepin qui est ouvert devant lui. Au premier regard, il semblerait que les barres de frappe martèlent inutilement le rouleau. Sauf que, sur l'écran de l'ordinateur, des lettres blanches apparaissent sur un fond noir aussitôt qu'il enfonce une touche du clavier à ressort de la machine à écrire. S'il avait appris à taper efficacement comme une dactylo — il se sert plutôt gauchement de ses deux index —, il aurait pu fixer son regard sur l'écran pour voir ce qu'il écrit s'y afficher en temps réel grâce à de nombreux pixels. Malgré sa maladresse, il produit son texte assez rapidement. Il ne craint même pas les coquilles, car il peut revenir en arrière en déplaçant le chariot puis corriger la faute sans que l'opération ne laisse de trace. Une fonction qui lui permettrait de couper des parties du texte pour les déplacer ailleurs sur la page virtuelle serait fort pratique. Il imagine déjà les avantages d'une telle opération.

Le texte ne fait pas plus d'une page. Les dimensions du format légal n'ont pas encore été fixées dans l'ordinateur. Lorsque ces paramètres seront programmés, il y aura, dans le système, des sauts de page automatisés. Pour l'instant, il doit donc y aller une page à la fois. Pour les bénéfices de l'expérience, il n'a transcrit qu'un court poème manuscrit. Le texte étant terminé, il se lève et place une feuille sur le rouleau de la deuxième Remington, la réceptrice. Fébrile, il va ensuite presser un gros bouton vert sous l'écran de l'ordinateur. C'est maintenant le test ultime de son expérimentation. Une barre de frappe de la deuxième Remington s'actionne automatiquement et inscrit une lettre noire sur le papier blanc. Puis une deuxième, une troisième lettre suit... Et le chariot qui se déplace, bien que personne n'enfonce la barre d'espacement entre les mots. Cela fonctionne ! Mais, subitement, la machine s'enraye, deux barres de frappe se sont emmêlées. Le processus est interrompu. Il redoutait ce problème. Il devra trouver une solution pour diminuer la vitesse des commandes de l'ordinateur. Néanmoins, c'est une réussite à ses yeux, même si la machine n'a tapé qu'un vers sur la feuille. Il ne reste plus qu'à faire des ajustements pour perfectionner son traitement de texte. Les choses ne marchent jamais du premier coup comme par magie. Il en a l'habitude et n'est pas déçu outre mesure.

Les poules gloussent quand il les chasse de son matelas pour se coucher. En battant des ailes, elles perdent des plumes, qui restent en suspension dans les airs pendant un petit moment. D'un pas tranquille, elles rejoignent la basse-cour, dehors, au grand soleil, tandis qu'il s'enfonce dans un lourd sommeil réparateur. Cela doit faire plus d'une semaine qu'il n'a presque pas dormi ni mangé. Le bruit des avions qui décollent ou qui se posent ne le perturbera même pas tant il est éreinté.

●

Bientôt, le soleil s'absentera complètement du ciel traversé à l'horizon par une longue tache rouge. Assis sur les marches de la galerie, il grille une cigarette. Il s'apprête à quitter les lieux et à retourner à la ville. L'endroit lui manquera, surtout la tranquillité qu'il a pu goûter, très propice pour ses recherches qui ne peuvent pas souffrir les dérangements. Il regrettera aussi la compagnie des poules pondeuses, auxquelles il s'était habitué. À tour de rôle, comme si elles pressentaient que le temps des adieux était venu, les bêtes viennent se promener à ses pieds. Il gratte leur tête avec douceur, l'esprit déjà ailleurs, tourné vers son proche avenir.

Dans la fourgonnette, il a déposé son sac de vêtements, ses deux Remington puis une boîte qui contient pêle-mêle du matériel électronique et des outils. Il ne reste plus qu'à embarquer l'ordinateur. Le fermier lui a promis son aide. Il ne devrait plus trop tarder.

La dépendance fermière est entourée de vastes champs de blé d'Inde qui forment de hauts murs verts. Un seul sentier de terre battue, tout juste assez large pour sa fourgonnette, crée une percée dans l'espace végétal extrêmement compact. À son arrivée, après qu'il eût quitté la route de campagne pour s'engouffrer dans ce sentier, il avait très vite eu le sentiment d'être perdu dans un labyrinthe tant le chemin bifurquait ici et là, les carrefours se multipliant sans logique apparente. Maintenant qu'il est sur le point de partir, il n'est pas convaincu qu'il trouvera la sortie, surtout pas alors que la lumière du jour s'éteint. Mais voilà que, interrompant ses pensées, le fermier surgit entre deux tiges de maïs, comme expulsé d'un mur. Il a l'air d'un épouvantail, avec son chapeau de paille, sa salopette, ses longs cheveux gris qui tombent en désordre sur ses épaules et sa barbe touffue.

En peinant, les deux hommes transportent l'ordinateur jusque dans la fourgonnette. C'est presque un sentiment de victoire qui les électrise une fois la lourde machine à sa place.

« Voilà pour votre grosse patente, monsieur l'inventeur. Bon sang que ça pèse. J'en reviens pas.

— Merci. J'apprécie grandement votre aide.

— Pourquoi, avec tout le génie dont ils disposent, les Américains n'ont-ils pas conçu un prototype plus léger ?

— Cela viendra. La technologie évolue rapidement. Je suis persuadé que ce modèle qui nous a fait tant souffrir est déjà dépassé à l'heure où l'on se parle.

— En tout cas, le jour n'est pas venu où j'aurai l'une de ces affaires-là dans ma maison.

— N'en soyez pas si sûr. Ce sera comme pour le reste. Le téléphone, la radio... En société, personne ne peut se passer désormais de ces outils. Ces appareils dictent une nouvelle norme de conduite. Ils structurent nos vies, nos échanges, nos communications. Même vous, qui êtes retranché sur vos terres, n'y échappez pas. Pour votre commerce, n'utilisez-vous pas de l'argent, une calculatrice pour votre budget, l'électricité pour vous éclairer, un tracteur… ?

— On n'arrête pas le progrès comme on dit.

— Oui, c'est exactement cela. Les expressions ont leur sagesse. Littéralement, le progrès, surtout technologique, nous emporte. Ne pas suivre sa marche équivaut à une forme de suicide. En fait, par rapport au progrès, il n'y a qu'une possibilité : dominer la vague qu'il crée ou être dominé par elle. Moi, j'ai fait mon choix. »

Un avion déchire le ciel à cet instant. Le bruit assourdissant des moteurs et de la friction de l'air contre le fuselage oblige les hommes à interrompre leur conversation. Tous les deux, ils lèvent la tête et regardent passer cette chose au-dessus d'eux. L'événement, bien qu'habituel en ces lieux, attire toujours leur attention tant c'est impressionnant.

« L'histoire nous montre aussi que le progrès, quoi qu'il arrive, domine inévitablement les pauvres et les exclus de ce monde. On remplace un système d'exploitation par un autre encore plus sophistiqué. Tout simplement. Les riches s'enrichissent davantage et les pauvres s'appauvrissent toujours plus. À Mirabel, on sait ce que c'est. Parlez-en aux expropriés de Sainte-Scholastique. Moi, si j'y ai échappé, c'est par un coup de chance. Les nouvelles délimitations territoriales ne me touchaient pas, de justesse. Je suis l'un des rares ici dont la vie n'a pas été complètement perturbée par la construction de l'aéroport.

— J'ai le pressentiment que la nouvelle révolution technologique instaurera un ordre social inédit complètement déhiérarchisé. Vous verrez. Les choses changeront. Les décisions ne viendront plus d'en haut. Tout le monde aura son mot à dire. Des injustices comme celles que les vôtres ont subies ne seront plus possibles.

— Bof, tant que moi je peux cultiver ma terre et avoir la paix… Que mes vaches produisent du lait et que mes poules pondent des œufs. Que le maïs pousse… Je laisse les révolutions aux autres.

— Je souhaite que cela reste ainsi encore longtemps pour vous. Allez. Au revoir. »

Pour que l'inventeur quitte ses terres sans se perdre, le fermier lui remet un plan. Le tracé est assez entortillé, mais il le suit fidèlement jusqu'à ce qu'il débouche enfin sur l'autoroute qu'il prend en direction sud, vers la métropole, en gagnant de la vitesse. Ses phares, qui prolongent son regard, sont allumés. C'est maintenant la nuit. Sa voiture franchit l'espace en brûlant de l'essence. L'énergie consommée par le moteur se transforme en gaz qui s'échappe d'un tuyau intestinal sous le plancher.

•

La compagnie

Il a fallu peu de temps pour qu'on s'arrache ses services dans la métropole. Les firmes d'avocats, les bureaux de notaires, les agences gouvernementales, qui, tous, croulent sous la paperasse, lui passent des commandes à répétition. On ne sait pas comment il réussit à produire une telle quantité de documents à lui seul en si peu de temps. Le résultat les impressionne. Il fait en une journée ce qu'une équipe de dactylos mettrait plus d'une semaine à taper à la machine à écrire. Changer quelques clauses dans un contrat de dix pages et corriger des fautes dans un rapport ministériel semblent un jeu d'enfant pour lui.

La prochaine étape de son entreprise s'avère toutefois plus délicate. Il veut convaincre le gouvernement du Québec d'acheter son logiciel de traitement de texte pour l'ensemble de ses ministères et organismes affiliés. Si son projet se réalise, il sera riche. Demain, il rencontre un haut fonctionnaire, avec qui il a réussi à obtenir un rendez-vous grâce à ses exploits professionnels qui lui ont fait une très bonne réputation dans le milieu de la bureautique. Personne encore ne connaît son secret. Mais, lors de cette rencontre, il dévoilera son jeu et fera une démonstration avec ses deux Remington. Dans la salle, il a demandé à ce qu'il y ait un ordinateur IBM. Il insérera une disquette — une espèce de grosse feuille de plastique rectangulaire trouée en son centre — qui contient le programme qu'il a inventé. Ensuite, il va taper n'importe quel texte et l'imprimer autant de fois qu'on le voudra, avec les modifications désirées. Tout cela en un laps de temps record. On sera très certainement convaincu des avantages qu'offre cette mécanisation de l'écriture. Il imagine déjà la tête que fera le fonctionnaire lorsque la Remington s'activera seule. Sa surprise sera totale, comme celle d'un primitif qui voit pour la première fois son visage reflété dans un miroir.

Tout comme dans la dépendance fermière, l'ordinateur et les machines à écrire occupent le salon de l'appartement, mais, ici, les téléviseurs à leur côté se multiplient et forment des tas pyramidaux dans les quatre coins de la pièce. Quelques écrans ont été défoncés ; devenu inutile, leur tube cathodique se dévoile. Tous les appareils dans la pièce sont reliés par un réseau de fils et, lorsqu'ils sont ouverts, ils modifient le signal d'origine communiqué par un câble coaxial, que diffuse fidèlement un seul téléviseur, isolé au centre d'un mur. Les autres écrans projettent la même image en mouvement mais transformée de multiples manières. Les couleurs changent. Il y a une inversion symétrique entre la gauche et la droite ou entre le haut et le bas. Les corps sont déformés, étirés ou grossis. Tantôt il pleut ; tantôt il grêle. Ou c'est la canicule. Les personnages changent de sexe. Une porte s'ouvre. Là, elle se ferme.

Quelques toupies anti-gravité tournoient librement autour de lui. Elles oscillent de haut en bas, de bas en haut, mais restent constamment suspendues dans les airs. Il en a été, au début, le premier surpris. Il croyait que l'énergie qui les anime s'épuiserait. Du moins, c'est ce qu'il avait prévu au moment de leur conception, d'après les lois élémentaires de la mécanique. Mais, au contraire, les toupies conservent leur vitesse. Il n'y a pas de perte. Voilà encore un mystère qu'il a lui-même créé par ses expériences. C'est une autre piste qui mérite d'être explorée ; notamment, pour l'industrie automobile, très énergivore, où le même principe d'une énergie inépuisable pourrait être transposé. Les économies seraient providentielles, tant pour les États que pour les citoyens.

Connectée au système de rouages et d'engrenages de l'horloge, une voix métallique annonce qu'il est vingt heures. Ce n'est pas si mal. Encore deux heures et il aura fini de taper ces arrêts municipaux qu'il doit livrer demain, juste avant de rencontrer les représentants gouvernementaux. Il est d'ailleurs bientôt temps qu'il cesse son travail puisque l'ordinateur commence à sentir le métal chauffé. Son corps aussi réclame du repos. Des élancements traversent son dos et une vieille bursite dans son coude le fait atrocement souffrir, même s'il se gave d'anti-inflammatoires.

Les barres de frappe de la Remington cognent régulièrement le rouleau. Il ne comprend pas trop ce qu'il écrit, formulé dans un langage administratif et juridique d'une grande complexité technique. Néanmoins, il sait qu'il est question d'un entrepreneur qui a obtenu un juteux contrat pour la réfection du réseau d'aqueducs dans un quartier de l'ouest de la ville. La cour a tranché. L'entente entre la ville et l'entrepreneur, soupçonné d'appartenir à la mafia italienne, est légale, quoi qu'en pensent les journalistes et les partis d'opposition. Il a déjà dû transcrire un arrêt similaire pour une cause entendue par un juge le mois dernier. Le document en question a été sauvegardé sur une disquette. Pour le nouveau contrat, seuls quelques passages ont eu besoin d'être modifiés et coulés dans la matrice existante. À la fin, la mise en pages est toujours impeccable, comme toujours depuis le début de ses activités qui ont fait sa renommée.

Il finit de taper le texte et, après, il se couche. Il tient à être en forme pour le lendemain. Ce n'est pas le moment de rater, car, dans ce domaine, il faut prendre de vitesse la concurrence. Pendant la nuit, l'ordinateur se refroidira et, à l'aurore, tandis qu'il fera ses ablutions matinales et qu'il déjeunera, il actionnera la deuxième Remington pour imprimer les copies du document qui lui ont été commandées. Des piles et des piles de feuilles vierges détachables sont empilées dans son appartement afin de répondre à la demande qui s'amplifie.

Soudain, la sonnette de la porte le sort de sa concentration. Qui peut bien le déranger à cette heure tardive? Le concierge? Personne d'autre que lui n'a l'habitude de lui parler dans cet immeuble. Et, encore, ce n'est que pour l'entretien des lieux qu'ils s'adressent occasionnellement la parole. Quant à ses voisins, il les ignore et ceux-ci lui rendent la pareille. En tout cas, ce n'est certainement pas un colporteur. La porte principale de l'immeuble est infranchissable, et, de plus, un gardien fait le guet. Ces vendeurs intempestifs n'aboutissent jamais sur son palier. Mais peu importe qui c'est, si ce genre d'intrusion se représente, il faudra qu'il installe une caméra de surveillance. Et qu'il invente un moyen de repousser les visiteurs indésirables. Il pourrait, depuis son salon, déclencher le lancement d'une bombe puante. Ou, au contraire, projeter un gaz inodore qui donne la nausée. Des chocs électriques transmis par son paillasson? Les idées qui commencent à se bousculer dans son esprit sont toujours le signal de l'amorce d'un nouveau projet. Il créera prochainement quelque chose d'ingénieux pour empêcher qu'on le perturbe pendant qu'il travaille. Ses idées ne resteront pas inutilement en l'air très longtemps.

À travers l'œil-de-bœuf, il distingue deux hommes de forte stature entièrement vêtus de noir. L'ombre que fait leur chapeau et le col relevé de leur manteau dissimulent en grande partie les traits de leur visage. Il a un mauvais pressentiment et, pendant un bref instant, il hésite à leur ouvrir sa porte. Le gouvernement, qui le soupçonnerait d'il ne sait trop quoi, aurait-il mandaté des mercenaires pour saisir ses machines ou des tueurs à gages pour lui trouer la peau ? Ses fabulations paranoïaques sont vite interrompues quand l'un des hommes frappe trois gros coups qui ébranlent tout le mur. Il sursaute et recule. Sa porte est défoncée. Les deux hommes se jettent sur lui et l'immobilisent facilement au sol. On place un linge imbibé de chloroforme sur sa bouche et son nez. Il s'évanouit rapidement.

●

Salle faiblement éclairée. Plancher et murs de béton. On dirait l'intérieur d'une usine désaffectée. L'inventeur est ligoté sur une chaise. Sa tête, lourde, tombe entre ses épaules et bouge quelque peu. Il sort lentement de son lourd sommeil. Derrière lui se tiennent bien droit les deux hommes qui se sont introduits dans son appartement. Ils regardent fixement un hologramme tridimensionnel en mode d'attente. Les traits figés, c'est le visage exagérément grossi de Bill Guterbenger, le patron d'IBM.

(Note de l'auteur : l'interrogatoire se passe en anglais. Nous le livrons dans une traduction française.)

LOUIS PHILIPPE *(cette réplique est exceptionnellement en français dans la version originale)*
Mais qu'est-ce que ?… aïe !…

BILL GUTERBENGER *(les traits de sa figure s'animent)*
Prenez le temps qu'il faut pour recouvrer vos sens, monsieur Philippe.

LOUIS PHILIPPE *(dans un anglais approximatif)*
Qui êtes-vous ?… Pourquoi suis-je attaché ?… Que me voulez-vous ?… Ce que j'ai mal à la tête… et soif…

BILL GUTERBENGER
Messieurs, je vous en prie, donnez un peu d'eau à notre invité. Montrons-lui que nous sommes accueillants.

> *L'une des deux brutes frappe la tête du prisonnier par-derrière. Sonné, l'inventeur redevient inerte puis émerge de sa torpeur en émettant des gémissements. Mais, cette fois-ci, il se plaint à peine et se tait, craignant qu'on le tabasse encore.*

BILL GUTERBENGER
Maintenant que vous êtes plus à votre aise, monsieur Philippe, nous allons pouvoir discuter. Laissez-moi vous dire d'abord combien je suis désolé de ne pas être avec vous en personne. Des projets d'une grande importance me retiennent ici. Mais la projection tridimensionnelle de mon visage devrait vous donner l'illusion que je ne suis pas loin. Mes techniciens ont encore amélioré son réalisme ces derniers jours. L'image se substitue presque parfaitement à moi. L'effet est si convaincant que je me déplace de moins en moins désormais. Cela me fait gagner un temps fou. En effet, m'absenter pour venir à Montréal aurait retardé l'échéance de projets importants pour le développement d'IBM, des projets dans lesquels je me suis personnellement investi, et qui sont top-secret, vous ne serez pas surpris d'entendre une pareille chose.

LOUIS PHILIPPE
Des ouvre-boîtes électriques…

BILL GUTERBENGER

Ah! voilà que vous faites de l'humour. Vos sens vous reviennent. C'est très bien, car vous aurez besoin de toute votre attention pour comprendre mes avertissements. Mais, au fait, j'y pense, me suis-je présenté? Non, je ne crois pas. Est-ce seulement nécessaire? Serait-ce présomptueux de ma part de penser que vous m'avez déjà reconnu? Après tout, je suis ce qu'on pourrait appeler une célébrité dans le monde des affaires. Toutefois, votre regard interrogateur m'en fait douter. Vous ne savez pas qui je suis? Vraiment? Tiens donc, que c'est amusant. Vous avez indéniablement une façon unique au Québec de vous tenir isolé de l'Amérique. Par ailleurs, si je puis me permettre une observation sociologique, votre conservatisme est pathétique, de même que votre dialecte, un français bâtard, que vous vous entêtez à parler alors que le monde entier s'anglicise. On m'a appris que vous seriez sur le point d'élire un parti indépendantiste. Non? Ce serait un suicide collectif si vous voulez mon avis.

LOUIS PHILIPPE

Je n'ai rien à voir là-dedans. Je ne fais pas de politique. Vous vous trompez de personne.

BILL GUTERBENGER *(qui ignore la dernière réplique de l'inventeur)*
Mais moi, qui ai des antennes partout, je sais qui vous êtes. J'entends parler de vous et de vos trouvailles jusqu'à Silicon Valley. Racontez-moi donc, monsieur Philippe, ce que vous faites avec l'ordinateur IBM que vous possédez illégalement.

LOUIS PHILIPPE

Rien de rien… La machine est foutue…

> *Une brute donne un choc électrique à l'inventeur avec un appareil qu'il cachait dans une poche de sa veste. Le corps du prisonnier est emporté par de grosses*

*secousses et sa chaise se renverse. Dans la chute, sa
tête frappe durement le sol. La peau de son crâne, au-
dessus de la tempe droite, est lacérée. Les deux brutes
remettent la chaise sur ses pattes. Un côté du visage
de l'inventeur est ensanglanté. L'hologramme reste
silencieux pendant de longues minutes, le temps qu'il
faut pour que le prisonnier revienne à lui.*

LOUIS PHILIPPE
Vous êtes malade! Pourquoi me faire subir un pareil traite-
ment? Croyez-vous que je bosse pour les Russes en cachette?
Je suis inoffensif. Laissez-moi tranquille.

BILL GUTERBENGER
De grâce, ne jouez pas la carte de la naïveté. Vous êtes plus
intelligent que cela. Répondez à nos questions et vous sorti-
rez de cet interrogatoire en un seul morceau. Alors, je vous
le répète : que faites-vous avec notre ordinateur, monsieur
Philippe?

LOUIS PHILIPPE
Quelque chose de fort élémentaire que les techniciens que
vous payez grassement ont déjà dû élaborer avec une efficacité mille fois plus grande que la mienne, étant donné les
moyens dont ils disposent. Si ce n'est pas le cas, alors virez-les
sur-le-champ. J'ai patenté un traitement de texte. J'ai relié
deux bonnes vieilles Remington à votre machine. On tape le
texte directement dans l'ordinateur puis, après, on actionne
électroniquement l'autre machine. C'est tout simple. J'ai
créé une secrétaire améliorée.

BILL GUTERBENGER
Où avez-vous trouvé l'appareil?

LOUIS PHILIPPE
Il traînait sur un trottoir…

BILL GUTERBENGER
Ne m'obligez pas à demander à mes hommes de vous cha-
touiller encore. Ils brûlent d'envie de vous écrabouiller. Ils
n'attendent que mon signal pour laisser aller librement leur
cruauté.

LOUIS PHILIPPE
Dans la cour à déchets d'un bureau fédéral, à Ottawa… le
Bureau des brevets… je n'ai eu qu'à casser un cadenas… il
faut accuser ici l'incompétence des fonctionnaires…

BILL GUTERBENGER
Nous verrons bien comment vous avez conçu votre programme quand nous analyserons votre ordinateur dans nos
laboratoires. Croyez bien que je regrette qu'un génie tel que
vous croupisse dans une province aussi colonisée que la vôtre
et qu'il soit condamné à végéter dans son jus, à l'insu des
grandes puissances. Vous vous êtes aventuré, monsieur
Philippe, sur des voies déjà occupées par des gens qui ont des
intérêts qui dépassent de beaucoup votre compréhension des
choses. Les enjeux sont grands. Capitaux. Et concernent
l'équilibre fort précaire de la planète, qui peut, du jour au
lendemain, basculer dans une troisième guerre mondiale.
Cela serait fatal. Des armes de destruction massive dorment
dans des entrepôts, aux quatre coins du globe. On ne doit
pas les réveiller. Vous, avec votre inconscience, vous risquez
de tout faire éclater. Alors, écoutez-moi bien. Je n'aurai plus
l'aimable gentillesse de vous mettre en garde une deuxième
fois contre les dangers que vous encourez avec vos expériences. Ne vous mêlez pas de la révolution technologique
qui commence. C'est nous qui l'orchestrons, de concert avec
les gouvernements. Il n'y a pas de place pour les atomes libres

et leurs initiatives. Prêtez-vous à des activités sans consé-
quence. On m'a appris que vous écriviez des livres ?

LOUIS PHILIPPE *(dépité)*
Oui, j'en ai publié quelques-uns.

BILL GUTERBENGER
Alors continuez. Vos élites séparatistes doivent beaucoup
miser sur l'émergence d'une littérature nationale à des fins
de préservation culturelle. Elles seront même enclines à vous
honorer. Pendant ce temps, nous nous occuperons de dicter
la marche du progrès.

LOUIS PHILIPPE
Comme d'éliminer le papier…

BILL GUTERBENGER
Ah ! il faudra encore beaucoup de temps pour que cela
advienne définitivement. Nous serons morts tous les deux.
Jusqu'à votre fin, vous pourrez encore profiter des avantages
de la galaxie Gutenberg. Ne sous-estimons pas les forces
d'inertie qui motivent les nombreuses sociétés qui résistent
aux changements.

LOUIS PHILIPPE
En d'autres mots, vous me demandez de ne plus pratiquer
mon métier de scientifique. Sinon… ?

BILL GUTERBENGER
On vous tuera. Sans avertissement. Vous ne vous en rendrez
même pas compte.

> *Les brutes lui mettent de nouveau un linge sur le
> visage. Il s'endort.*

•

À son réveil, il a l'impression qu'on a frappé son crâne avec une enclume. Il voit trouble. Même ses paupières sont douloureuses. Elles sont comme du papier sablé qui frotte ses yeux. Le sang sur un côté de son visage a séché et forme une croûte qui irrite sa peau. Ses poignets et ses chevilles brûlent ; la corde avec laquelle on l'avait ligoté a mis sa chair à vif.

Ses ravisseurs l'ont ramené dans l'entrée de son appartement en le jetant par terre comme un sac de sable. Avant de se volatiliser, ils ont laissé la place sens dessus dessous. Ils ont tout saccagé ; ils ont même vidé ses armoires de cuisine. De peine et de misère, il se rend jusqu'au salon et constate que, évidemment, ils ont emporté l'ordinateur, mais les Remington sont toujours là, bien que cassées. Il n'y a rien qui ne se répare pas, pense-t-il néanmoins, son esprit émergeant tranquillement de sa torpeur.

Que doit-il faire maintenant ? Alerter la police ? Il n'en est pas du tout convaincu. Les ramifications de la compagnie américaine doivent être très longues. Ce serait un jeu dangereux qui se retournerait contre lui à coup sûr. Aller à l'hôpital pour qu'on lui fasse des points de suture et qu'on referme sa plaie ? Il n'en a pas l'énergie. Il dormirait bien trois jours d'affilée. Ce mal de tête qui le tenaille lui donne aussi la nausée.

Pour le moment, il n'y a pas grand-chose qu'il puisse entreprendre. Du moins, tant qu'il n'aura pas les idées claires, il ne se décidera pas. Il pourrait bien s'inventer un double. Devenir espion. S'américaniser. Infiltrer IBM. Saboter la compagnie en guise de vengeance. Mais il n'a pas l'étoffe d'un héros, surtout pas présentement, tandis qu'il lutte contre son envie de vomir.

Là, à travers les débris de la table de salon piétinée, le répondeur clignote. Sur le coup, il se souvient de son rendez-vous avec le gouvernement, qu'il a loupé à cause de l'agression.

Il rembobine la bande magnétique de la cassette et écoute la voix enregistrée, la voix féminine et cassante d'une secrétaire : « Monsieur Philippe, tel que promis, je vous appelle au nom du Bureau des acquisitions du gouvernement du Québec. Votre démonstration a plu aux hautes instances, elles ont vu un véritable intérêt dans votre logiciel, mais les défaillances techniques de vos machines, survenues malencontreusement, ont suscité de vives inquiétudes. Votre réaction pour le moins surprenante qui s'est ensuivie les a finalement convaincues que vous ne possédiez pas les qualités requises ni la force morale pour transiger avec le gouvernement. Nous vous remercions pour votre désir de servir la nation et vous souhaitons la meilleure des chances dans la réalisation de vos autres projets. Au revoir. » C'est à n'y rien comprendre. Que raconte cette voix ? Serait-il allé à son rendez-vous sans qu'il s'en souvienne ? Par conséquent, aurait-il halluciné son entretien avec Bill Guterbenger ? Non, c'est trop invraisemblable. IBM a sans nul doute envoyé quelqu'un à sa place qui aurait intentionnellement tout bousillé avec pour objectif de lui faire perdre sa crédibilité auprès du gouvernement. Cette hypothèse-là est plus plausible. La compagnie lui aurait donc trouvé un sosie ? Lui a-t-elle inventé un frère jumeau ? Croisera-t-il un jour cet usurpateur sur le trottoir ? Cela lui laissera-t-il l'étrange impression de ne plus exister pleinement ?

Il se dirige vers sa cuisine, le pas mal assuré. Il marche sur la vaisselle cassée et passe par-dessus les chaises renversées pour prendre le seul verre dans l'armoire, le reste ayant été jeté par terre. En faisant couler l'eau du robinet dans son verre, il remarque enfin qu'une boîte a été posée sur le comptoir, bien en évidence, avec IBM écrit en grosses lettres bleues sur tous les côtés. Il l'ouvre puis sursaute en découvrant son contenu, et recule par réflexe. Il a aperçu le dessus d'une tête ; il en est convaincu. La compagnie aurait décapité quelqu'un (mais qui ?) pour lui lancer un ultime avertissement... Retrouvant son courage, il se rapproche du comptoir, y dépose son verre d'eau — dont le contenu a été presque entièrement renversé à cause de ses gestes brusques — et, d'une main tremblante, saisit une touffe de cheveux et soulève la chose. Dégoûté et terrifié à la fois, il ose à peine garder les yeux entrouverts. Mais c'est lui-même qu'il sort de la boîte. C'est la réplique parfaite de son visage. Le cou, qui a été sectionné, présente des fils métalliques. Il met la tête sur le comptoir, soulagé qu'on n'ait tué personne. Il replace une chaise sur ses pattes pour s'asseoir. Ça tourne, il craint de s'évanouir. Voilà que la tête du robot, souriante, s'anime et parle : « Mes chers fonctionnaires, je suis confondu. Les Remington fonctionnent habituellement très bien. Le bogue vient peut-être de votre ordinateur. Si vous me le permettez, je vais utiliser une technique personnelle pour le remettre en marche. Je donne d'abord un coup de pied dans la grosse boîte, puis un deuxième et un troisième. Ha non ! rien ne se passe. L'écran est toujours figé. Alors, il faut, dans un pareil cas, employer les grands moyens. On secoue la boîte de toutes ses forces. On la renverse par terre. Non, je vous en prie, n'alertez pas vos gardiens. Ha ! c'est déjà fait. Les voici sur place. Qu'ils restent là où ils sont, sinon je leur pisse dessus. Pardon, mesdames, pour ce procédé obscène, je ne sors jamais ma verge en public normalement. Messieurs les gardiens, n'approchez pas, l'ordinateur IBM n'aime pas l'urine, il pourrait exploser. Alors, comme vous êtes tous calmes, laissez-moi vous dire, en guise de conclusion, qu'avec mon logiciel vous pourriez reproduire à l'infini des textes. Mais aussi en produire des tout à fait originaux. Le premier ministre n'aurait plus besoin de ses petits scribouillards pour qu'ils lui pondent ses discours. Il n'aurait qu'à se servir de mon invention. Fini le temps où il doit réfléchir à ses politiques. Ma machine le fera à sa place. Mais qu'est-ce que... Lâchez-moi... Tabarnak !... » L'androïde s'éteint. Il prend la pose d'un masque mortuaire, dont les traits ont été figés pour toujours dans le plâtre.

Intermède : invoquer McLuhan

Mesdames, messieurs, bonsoir. Bienvenue à une nouvelle édition des Grands Reportages. *Devant moi* (mouvement de caméra), *comme vous pouvez le constater, la chaise de l'invité est exceptionnellement vide. En temps normal, nous aurions dû recevoir l'éminent professeur de l'Université de Toronto Marshall McLuhan, auteur des célèbres ouvrages* The Gutenberg Galaxy *et* Understanding Media, *mais, malencontreusement, il n'a pas pu venir dans nos studios. Nous aurons peut-être l'occasion de nous entretenir avec lui par téléphone dans les prochaines minutes, si le professeur réussit à sortir de sa voiture, qui, selon nos dernières informations, serait coincée quelque part dans le centre-ville de Toronto. C'est le risque des images diffusées en direct dans vos téléviseurs, depuis que des satellites dans l'espace nous relient. À la moindre défaillance ou anomalie, l'émission ne peut vous être livrée normalement, tel que prévu. Mais, comme dirait le professeur, nous communions néanmoins par la magie des ondes, bien que le programme d'origine ne soit pas respecté. Enfin, moi, votre animateur, me voici. Quant à McLuhan, nous le connaissons tous, sans l'avoir nécessairement lu, tant sa pensée sur les médias se résume à des slogans très simples. Avons-nous nécessairement besoin de la présence de son corps ? Je peux vous dire à sa place que « le message, c'est le média », et voilà que tout est résumé. Je pourrais aussi déposer ces deux essais volumineux sur sa chaise* (l'animateur le fait tout en le disant). *Ses théories sont couchées sur ces nombreuses pages. C'est savant et un peu verbeux. Seuls les intellectuels patentés ont d'ailleurs la volonté de les parcourir au complet.* (Il ne faut pas oublier que McLuhan est avant tout un professeur de littérature, même s'il se présente comme le chantre des technologies* *électriques et qu'il impute aux vieilles technologies mécaniques et à la culture typographique les méfaits de l'individualisme. Il demeure néanmoins un produit du monde alphabétisé qu'il critique ; en témoignent les fleurs de rhétorique qu'il sème ici et là dans ses écrits.) Ainsi, voici ce que je vous propose. La caméra fera un insert sur les livres fermés* (la caméra le fait). *Attendons que quelque chose se passe. Selon le professeur, un média nous plonge dans une sorte de torpeur. C'est un prolongement de nous-mêmes qui nous conditionne en modifiant nos perceptions. Cela se produit sans que nous en ayons conscience. Toutefois, quand deux médias se rencontrent, un ancien et un nouveau, le choc provoqué par leur réunion — comme celle du chaud et du froid — nous délivrerait de la transe qui nous engourdissait. Donc, l'imprimé, le livre, qui nous aurait placés depuis la Renaissance dans un état d'hypnose collectif, se transformera dans votre téléviseur. L'image projetée électroniquement sur votre écran grâce aux ondes des satellites devrait éveiller vos sens aliénés. D'ici là, le professeur se matérialisera peut-être dans les studios pour répondre à mes questions, du moins, si, comme je l'espère, mon incantation fonctionne.*

2

Impressionnante, la Tour de Radio-Canada compte trente étages ainsi que plusieurs sous-sols. Le logo rouge de la station jaillit fièrement sur sa surface avant, tout en haut, au-dessus de l'île de Montréal. L'immeuble est entouré d'un grand stationnement et constitue une sorte d'îlot ceinturé par de grands boulevards. Il est impossible de s'y rendre à pied ; seules les voitures peuvent s'en approcher. Comme toutes les grandes métropoles nord-américaines, Montréal s'est adaptée à ce mode de transport, lequel devient alors une nécessité pour se déplacer dans ses rues. Les piétons font désormais partie d'un autre âge.

Un taxi dépose l'inventeur juste devant l'entrée principale. Un sentier en ciment (une longue ligne droite) mène à de nombreuses portes vitrées, surmontées à l'extérieur d'un large auvent rouge, qui protège enfin l'inventeur de la pluie qui tombe dru. Il aurait dû apporter un parapluie ; ses cheveux trempés sont aplatis sur son crâne, et il n'a pas la lingette microfibre qu'il traîne habituellement dans ses poches pour essuyer ses lunettes. Elles ont l'air sales quand il les frotte avec ses vêtements. Mais il n'aura pas le choix ; dès qu'il pourra s'enfermer dans les toilettes, à l'abri des regards, il nettoiera ses verres comme il le pourra, avec un bout de sa chemise sorti de son pantalon.

Il essaie d'ouvrir une porte puis une autre, mais elles résistent toutes. Pourquoi les verrouiller en plein jour ? se demande-t-il. Que craint-on ? Est-ce un caprice des animateurs-vedettes qui aiment se sentir en sécurité dans la Tour, à l'abri du monde extérieur? de leurs admirateurs zélés? de leurs détracteurs? des terroristes? des nationalistes? Dans une moindre mesure, on veut certainement éviter que des intrus malveillants nuisent au déroulement des émissions radiophoniques et télévisuelles, car il faut que le silence règne près des studios d'enregistrement. En lui imposant des règles strictes, le gouvernement tient sans doute aussi à protéger sa société d'État, dans laquelle il engouffre beaucoup d'argent. L'inventeur sait à quel point les équipements sont onéreux dans l'univers des communications électriques, dont seulement quelques grosses entreprises américaines détiennent le monopole. Ces dernières fixent des prix exorbitants pour leurs marchandises qui doivent, par surcroît, être constamment renouvelées. De plus, elles ne souffrent d'aucune façon la concurrence; il en a eu lui-même plus que la preuve avec IBM. Même si les années ont passé, l'événement de son agression reste toujours très marquant dans son esprit. À cause de son traumatisme, il croit voir partout des hommes en noir l'espionner. Il se raisonne difficilement en se disant que ce sont ses peurs qui provoquent des hallucinations. Cela suffit à peine à les faire disparaître.

Voilà que des gens sortent de l'immeuble, mais le groupe, en pleine conversation, l'ignore, malgré l'évidence qu'il a besoin d'aide. Il pense à se faufiler par les portes ouvertes, mais cela pourrait provoquer une panique à l'intérieur. Et le bruit des parapluies qui s'ouvrent derrière lui. Enfin, il aperçoit, à droite, sur le mur, un interphone. Il ne sait pas pourquoi il s'imaginait qu'un garçon l'accueillerait avec la politesse qui caractérise son métier, comme dans les grands hôtels. Au lieu de cela, une machine impersonnelle enfoncée dans la brique attend que vous l'activiez, sinon vous resterez dehors à espérer inutilement qu'on vienne vous chercher. À côté de la plaque métallique, dont les multiples trous qui la percent forment un cercle parfait, il y a un gros bouton rouge. Il l'enfonce. Il entend un son de friture. Doit-il dire quelque chose?

« Allô ?

— Oui, répond sèchement une voix impersonnelle.

— Euh… comment fait-on pour entrer ici ? On m'attend d'une minute à l'autre.

— Votre nom ? Qui vous invite ? *(Le ton est impératif.)*

— Louis Philippe. Je viens postuler pour un emploi de scripteur. Victor Théberge, le directeur du service du personnel et de la programmation, m'a convoqué. Notre rendez-vous est à onze heures. »

Sur cette dernière phrase, la communication est rompue dans l'interphone. Puis, après que la voix impersonnelle a fait les vérifications nécessaires de l'autre côté, une sonnerie stridente vibre. Il devine qu'il doit ouvrir vite une porte, mais laquelle ? Elles lui résistent toutes encore. Impatiente, la voix impersonnelle, qui surgit de nouveau mêlée de parasites, précise que c'est la cinquième à partir de la droite. Non, l'autre droite, la sienne. Elle s'ouvre. Ça fonctionne. Soulagé, il glisse son corps et ses vêtements trempés dans l'immeuble.

•

L'air conditionné lui donne des frissons et le fait éternuer. Absorbée par son travail, la secrétaire, qui tape un document sur une machine à écrire, ne s'occupe plus de lui depuis qu'il s'est annoncé. Il patiente seul dans la salle d'attente. De toute évidence, les candidats ne se bousculent pas pour l'emploi.

Il est convaincu qu'il attrapera un rhume carabiné, à cause de cet air glacial, projeté par de nombreuses trappes dans les murs de l'immeuble. Son corps a toujours mal réagi à ce climat artificiel ainsi qu'aux changements soudains de température. Dehors, la chaleur tropicale et l'humidité l'avaient ramolli, mais, dès qu'il était arrivé dans le hall d'entrée, le choc du froid l'avait saisi. Il avait eu la sensation que son cerveau se crispait. Des crampes lui tordaient l'estomac.

C'est avec les sens engourdis, comme plongé dans un état second, qu'il s'était présenté au commis qui surveille les allées et venues, posté derrière un large bureau ovale, à côté duquel étaient alignés une dizaine de tourniquets. La voix impersonnelle de l'interphone s'incarnait dans cet homme revêche en uniforme, dont l'inventeur remarqua qu'il portait à la taille une matraque ainsi qu'un pistolet. Alors qu'il s'identifiait de nouveau — comme si la conversation dans l'interphone n'avait jamais eu lieu —, il vit des gens entrer et sortir librement, grâce à une carte dont la bande magnétique était décodée par un lecteur sur une borne gris argenté qui débloquait automatiquement les tourniquets. À l'occasion, le commis répondait à des voix venant de l'interphone. Après avoir fouillé dans ses documents et fait un appel téléphonique pour obtenir une confirmation, il lui montra un plan de la Tour et lui expliqua comment trouver les ascenseurs pour monter jusqu'au vingtième étage et quels corridors, une fois rendu là-haut, il devrait emprunter pour se rendre au bureau du Service du personnel. C'était particulièrement entortillé, mais il mémorisa fidèlement le trajet, même s'il était déconcentré par des picotements au nez qui annonçaient une crise violente d'éternuements. Une fois de l'autre côté, dans le grand vestibule — un carrefour que rejoignent plusieurs corridors ainsi que quelques escaliers mécaniques qui donnent accès à des paliers qui semblent se multiplier (c'est un effet conçu par les architectes) —, il chercha les toilettes plutôt que les ascenseurs. Il était urgent qu'il se mouche et anticipait aussi une diarrhée explosive, laquelle survenait souvent dans ce genre de situation.

Il a eu l'heureuse idée de se faire une réserve de papier hygiénique. Ses poches de pantalon en sont encore bourrées tandis qu'il attend le début de son entrevue pour le poste qu'il convoite. La secrétaire a lorgné ces enflures sur les côtés qui lui donnent une drôle de silhouette, mais elle n'a rien dit par politesse. Chaque fois qu'il sort du papier de ses poches, il a la certitude d'exhiber une faiblesse que la secrétaire hautaine remarque, bien qu'elle feigne d'ignorer ses malaises. Trempé, grelottant, le nez et les yeux rouges derrière ses lunettes sales, il éprouve une gêne qui le prédispose mal pour son entrevue. Une victime vient se livrer elle-même à son bourreau, pense-t-il, défaitiste.

Après avoir décroché le téléphone, la secrétaire l'informe, en usant d'une formule très protocolaire, que son patron l'attend. Dans sa voix monocorde ne transparaît aucune émotion ; quant au sourire qu'elle lui adresse, il a un aspect figé, comme si les muscles du visage accomplissaient une action purement mécanique. Décidément, elle joue son rôle à la perfection. Rien ne perturbe son flegme, pas même la fatigue ni l'ennui. En plus, elle semble vraiment à son aise dans cette température par trop réfrigérée. Lui, il grelotte et a les lèvres et le bout du nez bleuis.

Dans le bureau de Victor Théberge, ce n'est guère mieux. Il fait aussi froid. Mais le patron, qui est seul, se lève pour l'accueillir et lui serre chaleureusement la main, ce qui contraste avec l'ambiance morose qui sévit de l'autre côté de la porte. « Ma foi, remarque-t-il, vous êtes gelé. Je leur ai dit mille fois de baisser l'intensité de cette climatisation. Tenez. Buvez au moins ceci. Ça vous ragaillardira. » À sa grande surprise, il lui sert un scotch et en prend un pour lui-même, qu'il avale cul sec, avant de se resservir généreusement. Il l'invite à s'asseoir sans trop de cérémonie et regagne sa place, en poussant un gémissement, comme s'il se trouvait devant un ami à qui il n'a pas besoin de cacher que sa journée de travail l'exténue. Le scotch brûle un peu la gorge de l'inventeur, mais l'effet rapide de l'alcool fort dissipe sa nervosité et réchauffe son corps. Il descendra vite son verre, que Victor Théberge remplira aussitôt.

« Alors, c'est votre première fois dans la Tour ?

— Oui. De l'extérieur, sa taille m'impressionnait. Mais je n'avais pas deviné l'ampleur de ses ramifications internes. Au premier étage, je me suis senti comme dans un pavillon aux miroirs. L'étage où nous nous trouvons est lui aussi dédaléen ; c'est une chance que je ne me sois pas perdu.

— Vous savez, on ne s'y habitue pas. Moi, surtout quand j'abuse de ceci *(il montre son verre de nouveau vide)*, il m'arrive encore de me perdre dans les étages que je fréquente peu souvent. En me servant d'un téléphone mural, je finis par appeler la sécurité à la rescousse. Un gardien à la tête de mufle me rejoint alors et me sert de guide. Ces types ont comme un sixième sens ; ils se retrouveraient dans les couloirs ténébreux d'un terrier. Mais, pour le reste, leur intelligence ne vaut rien. La conversation ne mène nulle part avec eux.

— Je dois avouer que celui à l'accueil fait un peu cerbère. L'arme qu'il porte à la taille m'a par ailleurs intimidé.

— Ici, on ne lésine pas sur les moyens de sécurité. Nous sommes une société d'État et non pas privée. Des règles particulières s'appliquent dans la Tour. On répond à des impératifs qui émanent d'en haut.

— Le simple téléspectateur n'a pas toujours conscience que la télévision est un outil de propagande…

— Vous m'étonnez là… Vous n'avez pas tort, mais vous n'avez pas raison non plus. Cette idée que Radio-Canada se trouve au cœur d'une conspiration circule dans une frange de la population québécoise. J'entends souvent cette théorie suspicieuse et la lis à répétition chez certains chroniqueurs dont les opinions sont pour le moins agitées. Ce simplisme me fatigue. Cependant, dois-je vous rappeler que les gouvernements changent mais que nous, nous restons ? Les impératifs dont je parle sont beaucoup plus impénétrables que cela.

— Pardon, je ne voulais pas vous contrarier. En fait, je n'en ai aucune idée. J'ai dit cela sans trop réfléchir.

— *(Piqué au vif, Victor Théberge continue son laïus sans se soucier des excuses de son interlocuteur. Bon parleur, encouragé par son ivresse, il s'emporte.)* Je devine, moi, dans le discours de nos contempteurs, une méconnaissance crasse des médias. Puisque nous faisons du journalisme, ils s'imaginent tous que nous devrions leur représenter la juste réalité des choses. Quel beau fantasme ! Cela n'existe pas. La radio et la télévision ont leur propre langage, leur propre logique interne. À travers leur prisme, l'objet d'origine du reportage est si transfiguré qu'il devient quelque chose d'autre, une espèce de fiction. Là où le bât blesse, c'est que c'est une fiction déguisée. Car elle se présente, à cause d'un pseudo-pacte de transparence qui nous lie à nos récepteurs — auditeurs ou téléspectateurs —, comme la vérité. À la base, ce rapport contractuel est donc toujours déjà perverti. Je vous le dis tout de go. Les médias reposent sur le mensonge et le simulacre. Il ne peut pas en être autrement. À Radio-Canada, nous inventons un monde artificiel qui, chez les esprits naïfs, passe pour l'univers concret et matériel que nos corps touchent et respirent. Où se situe le problème alors ? Chez celui qui produit le signal médiatique ou chez celui qui le reçoit et qui ne s'arrête qu'au message ? *(L'inventeur ne répond rien, car il devine que la question est purement rhétorique et que son interlocuteur n'a pas terminé son monologue.)* Il faudrait que, dans nos écoles, on enseigne comment lire les images de la télévision au lieu de s'entêter à apprendre aux enfants à décoder le langage des livres, ces objets révolus qui sont dépassés par la révolution technologique qui s'impose à nos sociétés avec la force d'un ouragan. En vérité, nous créons des inadaptés. Nous réagissons de façon défensive en résistant à la nouvelle réalité électrique qui nous englobe et nous transforme. Tôt ou tard, elle nous dominera si on ne s'arrête pas à comprendre ses mécanismes qui, quoi que nous désirions, nous transformeront immanquablement. On entre dans un nouvel humanisme. N'est-ce pas stimulant ?

— Je n'ai pas besoin d'être convaincu de cela. Comme vous avez pu le lire dans mon C.V., je m'intéresse aussi à l'informatique. Dans mon antre d'écriture, entre deux ou trois travaux, je développe même des théories sur le potentiel que le code binaire offre à la littérature. On va bientôt générer de nouvelles formes textuelles révolutionnaires. Les paradigmes mentaux sont sur le point de changer. Cela me donne le vertige, tout comme ce délicieux liquide (*il montre son verre vide*).

— Voilà un discours qui me fait du bien. Pendant un instant, j'ai cru que vous logiez dans le camp des rétrogrades et des réactionnaires. Cela ne correspondait pas du tout à l'idée que je me faisais de vous, non plus qu'à la réputation qui vous précède. Oui, oui, ne soyez pas surpris, dans le milieu, on se rappelle très bien de vos performances dans la production de documents. Il est juste dommage que vous n'ayez pas commercialisé votre logiciel avant que Microsoft n'impose son système d'exploitation. Vous auriez fait fortune et seriez présentement à la tête d'un empire commercial. Bon, les Américains auraient fini par vous acheter — c'est toujours cela qui se produit. Le pactole que vous auriez reçu vous aurait néanmoins permis de couler des jours tranquilles jusqu'à votre mort.

— Les choses ne se sont malheureusement pas passées ainsi. Cela me rend encore amer aujourd'hui.

— Je vais vous donner la chance de vous reprendre. Quand j'ai vu votre nom sur la liste des candidats, j'ai mis fin séance tenante à la convocation des postulants. Vous avez été le seul appelé, monsieur Philippe. Vous êtes exactement la personne que je recherche. Comme vous devez vous en douter, Radio-Canada emploie de nombreux scripteurs. Ils forment un véritable bataillon. Ce sont pour la plupart des esprits libres qu'on peut difficilement embrigader. Les producteurs se plaignent de plus en plus de leur indépendance qui, trop souvent, les conduit à contourner subtilement les règles. Je soupçonne même qu'il se prépare une espèce de guérilla. Je ne serais pas surpris que, tôt ou tard, ils sabotent volontairement des émissions pour affaiblir nos politiques éditoriales.

— Contre quoi protestent-ils concrètement ? Je ne suis pas sûr de comprendre.

— Pour nous, c'est aussi encore flou. Mais c'est là que vous interviendrez. Vous allez les infiltrer.

— Vous me demandez de devenir un agent double ?

— Oui, c'est à peu près cela, dans un premier temps. Votre rôle va aller plus loin par la suite. Je tiens à ce que vous vous imprégniez du métier, que vous en compreniez les arcanes et que, grâce à vos connaissances informatiques, vous inventiez un logiciel sur mesure qui nous permettrait de produire automatiquement nos scripts. Éventuellement, nous congédierons ces employés réfractaires. Certaines émissions peu complexes comme les quiz ou les téléfeuilletons vous paraîtront faciles à contrefaire, mais, ultimement, nous aimerions que vous collaboriez aux reportages journalistiques. Cela posera des difficultés importantes mais pas insurmontables.

— Je commencerais quand ?

— Dès lundi. Présentez-vous à huit heures à mon bureau. En sortant, la secrétaire vous fera signer des documents. Mais je compte sur votre discrétion. Ce qui se passe dans cet immeuble relève du secret professionnel. Ne transgressez pas cet ordre, car les sanctions sont d'une sévérité implacable. Un dernier verre ? »

•

Une fois dans l'ascenseur, il réalise qu'il a bu trop d'alcool, lui dont l'organisme ne le supporte pas. Cela le frappe de plein fouet. Il a le tournis et, à cause de sa vision qui se brouille, il peine à lire les nombreux chiffres sur le tableau de commande, au point qu'il sent la voix métallique, qui répète plusieurs fois « Quel étage ? », s'impatienter. Son doigt engourdi finit par appuyer sur le bouton du rez-de-chaussée, mais pas sans en avoir accroché d'autres au passage, dont certains sous-étages appelés bizarrement A1, B4 ou D3.

L'ascenseur s'arrête souvent pour embarquer d'autres personnes, qui semblent toutes très affairées et qui l'ignorent superbement. Il se remplit tellement que l'inventeur doit se tasser dans un coin pour se faire le plus petit possible, avec le sentiment persistant qu'on lui reproche d'être de trop. L'odeur mélangée des corps, des parfums, des shampoings et des lotions après-rasage lui lève le cœur ; il concentre tous ses efforts pour réfréner une soudaine envie de vomir. Il en a des sueurs froides.

On dirait que les chiffres sur l'afficheur s'emballent. Se trompe-t-il ou l'ascenseur ne fait pas que descendre ? S'il voit bien (mais ce n'est pas le cas, l'ébriété dérègle ses sens ; il s'efforce en vain de corriger sa vision en plissant les yeux), il est maintenant au trentième étage. Pourtant, il jurerait qu'il était au dixième la seconde d'avant. Refoulé à l'arrière de la cabine, il ne réalise pas que, du fait de la hiérarchie qui structure la société de la Tour, certains cadres possèdent une clé qui leur permet d'interrompre une descente ou une montée pour se rendre directement à l'étage qu'ils désirent. Ceux qui ne profitent pas de cette prérogative — et ils sont nombreux — ne savent donc jamais combien de temps durera leur traversée verticale de l'immeuble ; ils peuvent se perdre longtemps dans les hauteurs ou dans les profondeurs.

La confusion finit par s'installer pour de bon dans son esprit. Il n'a plus aucune idée où il se trouve, alors qu'il commence à se sentir vraiment mal. Aussitôt que les portes s'ouvrent, il pousse quelques personnes — qui grognent de déplaisir ou de dégoût — et sort précipitamment, avec pour seul objectif de trouver des toilettes. Là-bas, au bout du couloir sur sa droite, il aperçoit les silhouettes masculine et féminine qu'il recherche désespérément. Il court presque et arrive in extremis devant une cuvette. Il vomit. Dans l'urgence, il n'a même pas pris le temps de lever le siège ni de fermer la porte de la cabine derrière lui. Mais il n'y a heureusement personne pour assister à ce spectacle fort dégradant. Pendant un instant, il a imaginé qu'il était retourné à la case départ, au vingtième étage, et que la secrétaire l'aurait vu se vider les tripes avec un immense dédain.

Comme cela se passe toujours après que l'estomac a expulsé le « poison » avalé en trop grande quantité, l'inventeur retrouve rapidement sa lucidité, quoiqu'il demeure encore chancelant et affaibli par la secousse qui l'a ébranlé jusque dans ses fondements intérieurs. L'eau froide dont il asperge son visage contribue à le remettre d'aplomb. Il avale de grandes gorgées à même le robinet. Ensuite, il prend une bonne inspiration pour se motiver et sort des toilettes avec une seule envie : retourner chez lui au plus vite pour se coucher et dormir.

Mais autour des portes fermées de l'ascenseur, il n'y a pas de bouton de commande. On ne peut les ouvrir qu'avec une clé spéciale. Étant donné son état en arrivant à cet étage, il n'avait pas remarqué la nature des lieux. Cela lui saute désormais au visage. Le couloir est faiblement éclairé ; il n'aperçoit même pas les deux extrémités lointaines, qui s'évanouissent dans des ténèbres opaques. Les parois des murs ainsi que le plancher sont en pierre ; ici et là, il y a des poutres de soutènement en métal. Ce sont des espèces de catacombes, certainement les sous-sols de la Tour. L'odeur d'humidité empeste et prend à la gorge. Les murs suintent. Des gouttes qui perlent et tombent du plafond assez bas sur sa tête le font sursauter, mais pas autant que lorsque quelque chose de petit et nerveux lui passe entre les jambes. Des rats ici ? À combien de mètres sous terre se trouve-t-il ?

Après avoir choisi arbitrairement la gauche, il avance dans le couloir à la recherche d'une porte donnant sur une cage d'escalier. Plus il progresse, plus il marche à tâtons, comme un aveugle, plus grandit en lui la conviction qu'il s'enfonce dans un bourbier. Soudain, l'écho d'un bruit remplit l'air, un tintamarre assourdissant. Quelque chose se dirige vers lui. Au loin, il aperçoit la lumière rouge et tournoyante d'un gyrophare. C'est un convoi qui roule à grande vitesse. Le couloir très étroit le force à se tasser, sinon il se fera carrément passer dessus. Mais ses pieds heurtent un rebord. Il tombe à la renverse. Il y a un trou dans le mur qu'il n'avait pas aperçu dans la noirceur, assez gros pour qu'il s'y engouffre. Le conducteur passe en trombe sans se rendre compte de la présence de l'intrus ; il remorque derrière lui une dizaine de chariots chargés de corps empilés. Si l'inventeur ne s'était pas retrouvé cul par-dessus tête, il aurait vu circuler, abasourdi, des bouts de membres dans le convoi.

Dans sa chute, il a fait tomber des objets, lesquels ont amorti le choc de son dos contre le sol. Il ne voit rien, mais il devine qu'il a abouti dans un entrepôt où l'on entasse des mannequins. Les faux corps ont basculé comme un jeu de quilles, certains sont emmêlés avec lui. Leurs membres ne sont pas aussi raides que ceux des imitations d'hommes rudimentaires des boutiques de vêtements et se plient un peu sous la pression de son poids, comme s'ils voulaient suivre maladroitement les gestes d'une chorégraphie inconnue. En se relevant, l'inventeur fait tomber un autre corps sur lui, qui, jurerait-il, l'enlace avec ses deux bras. Sur le coup — il ne sait trop comment ni pourquoi —, une lumière vive et éblouissante s'allume. Alors que ses yeux s'adaptent à la clarté, il réalise que s'est collée, amoureusement, contre lui une réplique de René Lévesque, qu'il repousse, surpris, tant elle est réaliste. La chose s'anime. Ses paupières s'ouvrent. Le visage quasi larmoyant, elle s'adresse à l'inventeur ébahi : « Si je vous ai bien compris, vous m'avez dit à la prochaine fois. » Qu'est-ce que cela signifie ? Tout ce qu'il sait, ou qu'il pressent instinctivement, c'est qu'il voit quelque chose d'interdit et qu'il doit s'enfuir avant qu'on découvre qu'il est ici. « Faites-moi plaisir, je vous en prie, et entonnez avec moi cet hymne superbe, qui exacerbe notre patriotisme. Un, deux, trois. Gens du pays, c'est votre tour de vous laisser parler d'amour... » L'automate chante encore quand l'inventeur franchit le trou dans le mur. Dès qu'il met le pied dans le couloir, une sirène d'alarme s'enclenche. Des deux côtés, il entend le pas militaire de groupes d'hommes, qui le prennent en souricière. Il s'évanouit à l'idée même de se faire tabasser, dans une réminiscence de son agression.

•

C'est décidé. Si jamais, lundi, Victor Théberge évoque l'événement, il feindra l'ignorance. Après tout, il a une bonne excuse. Lorsqu'il ingurgite de l'alcool, il perd toujours la carte. Une fois sorti du bureau de son employeur, son cerveau se serait mis à tourner. Il ne se souviendrait plus de rien. Une amnésie totale. Devinez quoi ! La minute d'après, comme s'il avait été télétransporté, il se serait réveillé dans son lit, avec ses vêtements sur le dos, une énorme bosse sur le crâne. Il a dû se cogner la tête contre le sol. Il tombe toujours quand il est saoul tant ses jambes deviennent molles. Par conséquent, avec toute la politesse dont il est capable, il refusera désormais les prochains verres de scotch de son employeur.

•

Caroline Hébert travaille depuis quelques années pour Radio-Canada, tout en poursuivant ses études universitaires en sciences sociales. Elle a commencé en tant que recherchiste, œuvrant pour diverses émissions, surtout radiophoniques, la plupart couvrant les affaires publiques. Sa spécialité se situait dans le monde municipal, dont elle a fini, à force de fouiller ici et là, par comprendre les rouages à l'origine du financement occulte des partis politiques et de l'octroi des contrats pour les gros chantiers de construction et de réfection à des compagnies mafieuses. Mais, récemment, elle a demandé d'être mutée à la conception d'émissions de divertissement, car, en tant que simple contractuelle — qui ne profite pas des avantages d'un employé permanent —, elle n'est pas protégée contre les représailles physiques. Son contrat de travail ne comprend aucune assurance. Sa trop grande curiosité, qui dérangeait de plus en plus la collusion établie, devenait une menace, et elle ne voulait pas courir de risques inutiles, surtout pas pour un emploi à temps partiel. Et puis, ce n'est pas elle, après tout, qui doit faire le travail de la police.

Le quiz auquel elle collabore désormais a un contenu très insignifiant, contrairement aux magouilles dont elle démontait le système dans ses affectations précédentes. Mais c'est un boulot payant, ce qui convient parfaitement à ses attentes. Pendant la saison estivale, l'émission d'une demi-heure est diffusée tous les soirs de la semaine à dix-sept heures trente, une plage horaire de grande écoute, qui précède tout juste celle du bulletin télévisé. Cent personnes du public s'assoient dans un grand amphithéâtre circulaire, aux allures du Colisée, et répondent à des questions portant sur tous les sujets (histoire, arts, sciences, sports, etc.). Les incultes sont progressivement éliminés, les questions devenant de plus en plus pointues. À la fin, il ne reste plus qu'un seul joueur, qui doit répondre correctement à un blitz de dix questions pour remporter le grand prix. L'émission, dont le titre, *Que le meilleur gagne!*, est tout simple, jouit d'une assez grande popularité, qui ne se dément pas d'un été à l'autre, même si les animateurs, des artistes en manque d'argent, n'y restent jamais plus d'une saison. Caroline Hébert collabore à la rédaction des questions — ce qui lui rappelle agréablement ses années à *Génies en herbe* — et accueille aussi les nombreux participants afin de les guider dans la Tour jusqu'au studio. Comme hôtesse, on apprécie son affabilité et sa jovialité ; de plus, sa beauté sculpturale plaît grandement à la gent masculine, qui la regarde toujours goulûment.

Lorsque Victor Théberge a présenté la jeune femme à l'inventeur, il a été lui aussi sidéré par la finesse de ses traits et le charme de ses formes, bien que, d'habitude, il reste assez insensible aux appels de la chair. À sa décharge, le scotch qu'on lui avait offert avec insistance et qu'il n'avait pu refuser encore une fois avait un peu désinhibé les envies secrètes qu'il sublime en temps normal. L'alcool, qui fausse les perceptions, lui avait même fait croire, pendant un bref instant, qu'elle le trouvait séduisant, mais c'était impossible, sa tête de premier de classe, sa maigreur et son mauvais goût vestimentaire n'offrant rien de valable à l'autre sexe. Il s'était vite ressaisi et, tandis que Victor Théberge lui expliquait que Caroline Hébert superviserait sa formation, l'envoûtement perdait de son effet. L'égarement avait été passager. Enfin, il avait cru apercevoir, avant de prendre l'ascenseur avec la blonde plantureuse, un sourire malicieux défigurer le visage empourpré de son employeur ; il n'aurait su dire toutefois si cela tenait à l'attirance sexuelle pour Caroline Hébert qui s'était également éveillée dans son corps bedonnant ou si, machiavélique, il goûtait le piège qu'il venait de tendre à l'inventeur, qui ne comprenait pas ses intentions cachées.

•

Le quiz est d'une simplicité inouïe. C'est un très petit défi qu'on lui pose, certainement pour tester son efficacité. Générer automatiquement des questions et des choix de réponse ne constitue rien d'infaisable. Depuis que les PC sont commercialisés et que la compagnie de logiciels Microsoft a signé une entente avec IBM, il s'est procuré de nouveaux ordinateurs (bien moins encombrants que le prototype qu'il avait subtilisé). Il n'a pas pour autant arrêté de modifier la structure des appareils et d'améliorer leur système d'exploitation, comme il le faisait avant son agression, sauf que, désormais, il demeure très discret avec ses innovations, qu'il n'utilise qu'à ses propres fins pour éviter de nouvelles représailles de la part de la compagnie jalouse de ses acquis. Récemment, il a lancé dans le ciel montréalais un petit satellite, qui reproduit la technologie développée avec ses toupies anti-gravité. L'objet, dont la réception est amplifiée, capte des ondes électromagnétiques, incluant même celles de la Défense américaine, que l'inventeur est parvenu à décrypter, après avoir rogné bien des heures de sommeil. Par cette porte virtuelle qu'il a forcée, il réussit ainsi à entrer en relation avec une multitude de serveurs distants, sur lesquels sont stockées des informations en grande quantité — et cela est croissant. Comme il dispose déjà d'un nombre incalculable de données, il lui reste à créer un logiciel capable de compulser les informations et de formuler des questions et des choix de réponse à l'infini, après avoir installé un programme de grammaire générative qui manipule la syntaxe française. À cet égard, le traitement de texte Word de Microsoft, une version à peine améliorée de son propre travail d'autrefois, constitue une matrice à partir de laquelle il pourra réaliser, sans trop d'efforts, l'automatisation de l'écriture.

Le monde de la bureautique qui, en peu d'années, s'est transformé à grande vitesse a rendu désuètes ses deux Remington, devenues des antiquités. Il tape maintenant ses textes directement sur le clavier de son ordinateur et il a une imprimante marguerite.

●

Les rapports qu'il a développés avec Caroline Hébert sont assez ambigus. Depuis quelque temps, ils se sont évidemment beaucoup côtoyés ; une sorte d'appréciation mutuelle mêlée à une prudente méfiance détermine leur relation. L'inventeur a en effet l'impression que la jeune femme joue aussi un double jeu à son endroit, sans que cela ne l'inquiète outre mesure, tant il ne se lasse pas de sa présence. Mais, aujourd'hui, elle le surprend vraiment ; il en perd presque son assurance. En suivant les ordres de Victor Théberge, qui lui recommandait la plus grande discrétion, il avait dit très peu de choses sur lui à sa collègue de travail, seulement le strict nécessaire pour ne pas attirer sa suspicion. Par pudeur avant tout, il n'avait pas parlé de son œuvre littéraire, laquelle, bien qu'elle ne soit ni secrète ni compromettante, demeure confinée à un lectorat restreint et spécialisé. Les écrivains qui s'autoproclament à tout bout de champ lui paraissent fort pathétiques ; ses livres, pense-t-il, trouveront leurs lecteurs, s'ils sont assez bons pour s'imposer par eux-mêmes. Le reste (la reconnaissance, le prestige, la gloire), il s'en fiche.

Alors qu'ils attendent que l'ascenseur bondé s'arrête au quinzième étage, la jeune femme, dont il avait sous-estimé les talents de recherchiste, sort un livre de son sac en bandoulière : *La manufacture de machines* de Louis Philippe. C'est son dernier, publié à la fin des années soixante-dix ; depuis, il n'a plus rien écrit, par désintérêt. Il ne sait pas trop encore si son silence littéraire perdurera. Mais il se pourrait bien que sa décision soit définitive. Il ne s'en porterait pas plus mal. Des gens écrivent, d'autres non. Les bibliothèques continueront néanmoins de se remplir.

« T'as vu sur quoi j'ai mis la main ?

— Eh bien, voilà, je suis démasqué…

— Pendant tout ce temps, j'étais donc en compagnie d'un écrivain sans le savoir. Pourquoi ne m'avoir rien dit ?

— Aurais-je dû ? Non, vraiment, je ne me présente jamais comme un auteur parce que j'ai l'intime conviction que cela ne définit pas mon identité. Ce serait même plutôt le contraire. C'est comme si c'était quelqu'un d'autre que moi qui écrivait mes livres, une sorte de double. Les gens qui me côtoient n'apprennent rien sur ma personne en me lisant. De plus, je ne glisse aucune anecdote biographique dans mes histoires. Mais, bon, puisque nous y sommes, puis-je te demander ce que tu penses de ta lecture ?

— Oh ! je viens à peine de commencer. Comme bien du monde, j'ai l'habitude de lire surtout des romans. Moins des recueils de nouvelles. Sinon jamais. Ce qui me déstabilise encore plus, c'est qu'il n'y a presque pas de personnages. J'ai eu le sentiment de parcourir une écriture volontairement désincarnée... Je m'excuse. Je me rends compte que mes commentaires sont très naïfs et qu'ils restent au premier degré.

— Tu te méprends, là. Je les reçois avec une grande satisfaction. Et je ne bouderai certainement pas mon plaisir. Les écrivains québécois ont si peu de lecteurs... Que tu sois déstabilisée n'est en rien surprenant. Je pratique une littérature expérimentale et recherche donc cet effet. Même la critique a admis sa perplexité devant mon recueil. Que devait-elle penser de ces histoires d'anticipation qui racontent la vie de machines produites par une manufacture sise dans un village perdu en pleine campagne ? Déroutant, hein ? On a qualifié mon livre, une lecture exigeante, de formaliste. Je ne prétends pas le contraire, mais est-ce un défaut en soi ? En tout cas, la critique prétend que c'en est un. Cela montre bien quelle littérature le Québec est capable d'accepter. Ici, on rejette facilement les œuvres qui repoussent les limites.

— Ainsi, tu serais, en quelque sorte, victime d'une censure inconsciente.

— Mes livres. Pas moi. Je dois apprendre à me méfier de ma propre mégalomanie. Il ne faut pas que je m'étonne après tout d'être mal reçu ou incompris si je bouscule les attentes et les formes admises. Mais, toi, persiste dans ta lecture. Ce qui te semble si étranger maintenant te deviendra bientôt familier par un heureux renversement des perspectives. Tu verras. C'est là que se produit la véritable expérience littéraire.

— D'accord. Je te le promets. Si jamais je me transforme en une machine, tu seras le premier prévenu.

— Tu sais que j'ai respecté une contrainte dans l'écriture de ce livre. Je n'ai produit qu'un seul jet, tapé directement sur une Remington. Je ne pouvais revenir en arrière. À la moindre erreur, je jetais le papier et reprenais depuis le début, de mémoire. Chaque nouvelle ne compte qu'un seul paragraphe et compose donc un bloc monolithique. L'écrivain, un véritable double dans ce cas précis, devenait le prolongement quasi fusionnel de sa machine à écrire. »

•

À la fin de la journée, qui a été éprouvante — on avait enregistré trois émissions en rafale —, Caroline Hébert est complètement épuisée. Elle a distribué plus que son lot de sourires et, par-dessus le marché, elle a dû repousser les avances de l'animateur (un chanteur sur le déclin), de plus en plus insistant. Elle s'en ouvre à l'inventeur, qu'elle invite chez elle pour prendre un verre et décompresser entre collègues. Elle habite à l'est du Quartier latin, tout près de la Tour et de l'Université populaire, où elle poursuit ses études. Ils partageront un taxi. Elle mettra son vélo dans le coffre de la voiture.

Il accepte une bière qu'il boit directement à la bouteille. Le naturel avec lequel elle le reçoit lui plaît d'emblée. Cela contraste avec les manières empesées et bourgeoises des employés de la Tour. Modeste, l'appartement, un petit trois pièces, respire le confort, essentiel aux études, et le salon est dans un désordre presque romantique, où les livres, les carnets et les feuilles manuscrites s'amoncellent. Pendant que son hôtesse réchauffe des pâtes et une sauce bolognaise, et qu'elle se bat avec les chaudrons et la vaisselle sales empilés sur le comptoir, il se fait une place sur le canapé où des livres ont été éparpillés. Ils mangent leur plat à la bonne franquette dans le salon, en se moquant des participants à *Que le meilleur gagne !*, dont ils regardent la diffusion. Les joueurs ont tous un air figé, comme si la caméra les tétanisait et leur enlevait une parcelle de leur vitalité.

Alors que les bouteilles vides s'accumulent et que Caroline Hébert sert des boissons fortes, l'attention de l'inventeur est captée par le téléviseur où passe une publicité. C'est une bande-annonce aguicheuse. *The Terminator*, un film de science-fiction, une coproduction américano-britannique, sort en salle. Il ne comprend pas trop le sens de l'intrigue, que résume une voix off dynamique, mais il saisit qu'un homme et un robot tous deux venus du futur se battent au sujet d'une femme. Voilà encore une fois une banale histoire de triangle amoureux, se dit-il.

« Ce film t'intéresse ?

— Un peu, oui, comme toutes les projections futuristes.

— Ça remporte un grand succès au box-office aux États-Unis. Tu connais l'acteur principal, Arnold Schwarzenegger ?

— Conan, le Barbare ?

— Oui, en plein dans le mille. Ne trouves-tu pas qu'avec des muscles en moins et le ventre arrondi, il ressemble à Victor Théberge ?

— Ça, c'est drôle. Notre patron serait donc un robot, une sorte d'ange déchu qui a pour mission de réaliser les temps apocalyptiques.

— Mais un autre type, venu d'aussi loin, un messie en quelque sorte, l'en empêche avec les moyens du bord. L'acteur qui joue ce rôle te ressemble d'ailleurs, si on lui rase la barbe et qu'on lui met des lunettes.

— Et la nana ?

— Ce serait moi, mon chou. Tu es mon sauveur. »

Elle se rapproche, prend son visage entre ses mains puis l'embrasse. Il en reste interdit. Mais elle, que l'alcool enivre au moins autant que lui, elle rigole, et avale le gin dans son verre d'un seul trait. L'inventeur n'a pas l'esprit assez clair pour comprendre le sens de ce rapprochement physique, mais, même à jeun, il n'aurait pas été assez dégourdi pour profiter de ce genre d'avance. Pour le moment, sa seule certitude, c'est qu'il a trop bu et qu'avec un verre de plus, il risque de se retrouver encore une fois dans les sous-sols de la Tour, en proie à des hallucinations.

Sans dire un mot, la jeune femme se lève et, titubante, marche dans le couloir. Persuadé qu'elle va aux toilettes pour vomir, il la suit afin de s'assurer qu'elle se videra les tripes au bon endroit sans se casser le cou ou qu'elle ne s'étouffera pas, comme Jimi Hendrix, avec ses sécrétions, couchée sur le dos. Mais elle file tout droit dans sa chambre et, sans éteindre la lumière, s'étend à plat ventre sur son lit, assommée pour de bon par l'alcool. La tête de l'inventeur tourne aussi. Néanmoins, il trouve l'énergie nécessaire pour retirer ses chaussures à la jeune femme et la mettre sous ses draps, en réfrénant de peine et de misère l'envie de la déshabiller puis de la reluquer, voire de balader ses mains sur son corps qui s'offre sans défense. Il est sûr qu'elle n'en garderait aucun souvenir. Le peu de conscience qu'il lui reste l'empêche toutefois de se livrer à ces désirs de masturbateur.

En se relevant, il se cogne la tête contre quelque chose suspendu au plafond qu'il n'avait pas aperçu en entrant parce qu'il avait les yeux rivés sur les fesses de Caroline Hébert, moulées dans un jean usé à la mode des vedettes rock. C'est un filet en métal, assez grand pour contenir un corps humain. Des sangles sont fixées aux quatre extrémités pour attacher les membres sans doute. Se met-elle là-dedans des fois, en captivité dans les airs ? Mais pour quoi faire ? Il n'est pas sûr de comprendre l'utilité sexuelle de cet objet. En le touchant, il remarque que le treillis est très coupant ; il a failli se blesser à l'index. C'est encore heureux qu'il ne se soit pas ouvert la peau du crâne tantôt. Il marche sur deux ou trois objets en reculant vers le cadre de la porte (des fouets, des masques de cuir, des boules en chapelet plus grosses

qu'un œuf) sans trop s'arrêter sur leur fonction sadomaso-
chiste. Son dos heurte au passage ce qu'il croit être une
patère, son coude touche une sorte de verge caoutchouteuse,
qui s'anime en tournant sur elle-même. Comme effrayé, il
sort vite de la chambre, éteint la lumière, et ouvre la porte de
l'appartement, heureux de se retrouver dehors et de ne plus
entendre le bruit du moteur de la bite artificielle qu'il a excitée malgré lui. Il est très gêné d'avoir violé le jardin secret de
sa collègue et se promet de ne pas lui avouer avoir mis les
pieds dans sa chambre. Elle dormait au salon quand il est
parti totalement ivre. Voilà ce qu'il lui racontera si elle pose
des questions. Cette stratégie éprouvée l'avait bien servi avec
Victor Théberge.

•

Le colloque de Cerisy

L'invitation a été impromptue. Il remplacera au pied levé
un autre écrivain, tombé gravement malade. Joint par téléphone, Victor Théberge a accepté de lui donner un congé
d'une semaine sans même rechigner et il avait même semblé
heureux pour lui qu'on s'intéresse à son œuvre littéraire.
L'inventeur prendra l'avion pour la France dès lundi soir.
Pendant la fin de semaine, il trimera dur sur le texte de sa
communication. Il a bien l'intention de susciter une polémique. Son séjour à l'étranger arrive aussi à un bon moment,
cela lui permettra de repousser sa prochaine rencontre avec
Caroline. D'ici là, son malaise se sera dissipé et elle aura peut-
être même oublié qu'elle l'a embrassé.

Les Français, qui développent une curiosité de plus en
plus grande pour les autres pays francophones, ont pro-
grammé, dans les célèbres rencontres de Cerisy, un colloque
sur la littérature québécoise. Une trentaine de théoriciens
mais aussi d'écrivains ont été invités et leurs communications,
regroupées par thèmes sur cinq jours. Il y sera question, dans

l'ordre suivant, de l'incontournable sujet du nationalisme, de l'héritage de la Nouvelle-France, de l'institution littéraire, de l'influence des courants modernes européens (le surréalisme, l'existentialisme...), et des formes nouvelles dans les œuvres contemporaines. L'inventeur ne doit intervenir qu'à la fin. Dans les faits, il remplace un poète de la contre-culture dont la rumeur qui court prétend qu'il a été victime d'une overdose. À son arrivée, le colloque en sera déjà à sa deuxième journée de discussions entre historiens de la littérature, des gens sérieux qui ne font pas bien la distinction entre la valeur d'une œuvre d'art et celle d'une lettre patente.

•

Après avoir quitté l'aéroport Charles-de-Gaulle, le mardi matin, il tue le temps dans la Ville lumière en marchant sur les quais de la Seine tel un zombi, à cause des effets du décalage horaire et des somnifères qu'il a avalés. Il attend le départ en après-midi de son train depuis la gare Saint-Lazare. Après un changement à Lison, sur la ligne en direction de Rennes, il se rendra jusqu'à la gare de Carantilly, où, tel que prévu par les organisateurs, l'accueillera un domestique du château de Cerisy-la-Salle qui le conduira en voiture. Au total, le trajet en train dure environ trois heures, lesquelles s'ajoutent aux six heures du vol outre-mer Mirabel-Paris. Il doute donc qu'il soit assez en forme le lendemain pour écouter les débats sur la lente émergence des institutions littéraires au Québec. Les maisons d'édition, à peine écloses pendant la Révolution tranquille, vont bientôt subir l'assaut d'une transformation culturelle, celle de l'ère numérique qui va s'imposer avec la commercialisation des ordinateurs personnels, de plus en plus petits et performants. Mais, dans ce milieu conservateur, personne ne sera assez devin ou avant-gardiste pour évoquer l'américanisation galopante et la mort du papier. Lui, il le fera peut-être, pendant la période de questions, s'il parvient à lutter contre le sommeil et qu'il a l'énergie pour défendre sa vision, qui dérangera plusieurs des bonzes du milieu — et c'est un euphémisme.

C'est la première fois qu'il assiste à un colloque à Cerisy, où passent régulièrement les sommités et les grands écrivains, et qu'il met même les pieds en Normandie. Une fois qu'il apprend cela, son chauffeur, qui a le verbe facile, décide de jouer au guide touristique et fait même deux petits détours pour lui montrer des abbayes, qu'il lui suggère, s'il en a le temps pendant son séjour, de visiter, au lieu de perdre son temps à pelleter des nuages avec les sémioticiens, les philosophes et les artistes.

« Pour un Américain, même francophone comme moi, l'impression qu'on se retrouve, en Europe, au Moyen Âge, procure une drôle de sensation. Ici, l'Histoire prend des dimensions concrètes. Chez nous, on vit avec le sentiment qu'il nous manque quelque chose dont nous aurions été coupés. Nous avons fait table rase du passé.

— Mais c'est aussi la force du Nouveau Continent, rétorque le chauffeur. Vous êtes libres. Trop de passé étouffe les Français. Quant au Moyen Âge, détrompez-vous. Il en reste bien ici et là quelques vestiges, mais ils sont assez rares. L'Histoire récente nous marque beaucoup plus. À environ cinquante kilomètres d'où nous sommes se trouvent les fameuses plages du débarquement. Dois-je vous le rappeler ? Quant au château où nous allons, il date du XVIIᵉ siècle, bien après que Jacques Cartier eut planté sa croix je ne sais plus trop où exactement…

— Sur la péninsule gaspésienne.

— Alors, on repassera pour la permanence du temps médiéval. Ce qui marque profondément notre chauvinisme, c'est plutôt Napoléon et la Révolution. Nous avons, dans notre sang, le complexe de l'impérialiste et du colonisateur. En nous, la conviction que nous détenons une supériorité culturelle est profonde, tenace. Il nous faut encore répandre aujourd'hui nos Lumières, même après l'Algérie. »

Sur ces entrefaites, la voiture accède au site du château. Malgré le crépuscule qui assombrit le décor, l'endroit paraît idyllique à l'inventeur. Les jardins sont denses et des arbres centenaires trônent dans la végétation en fleurs. Le chemin de terre battue sur lequel la voiture roule à basse vitesse serpente entre les diverses dépendances. Les pneus crépitent sous le gravier et soulèvent une fine poussière.

« On m'a demandé de vous conduire tout de suite à votre chambre. Un repas vous y attend. Vous pourrez déposer vos affaires et vous relaxer. Le voyage a été long. Mais, si une balade vous tente, le bâtiment central est ouvert jusqu'à minuit. Je vous invite à y flâner pour vous imprégner des lieux. Nous arrivons maintenant aux Escures. C'est ici que vous logerez. Le bâtiment de deux étages est modeste, mais vous le trouverez confortable. De plus, le dortoir des étudiants est presque inhabité cette semaine. Le colloque n'a malheureusement pas attiré beaucoup de jeunes chercheurs. Ce sera donc tranquille. »

Le chauffeur transporte sa valise jusqu'à sa chambre au deuxième et lui fait ses salutations. L'endroit est silencieux ; il est seul. D'autres participants occupent les chambres dans le bâtiment, mais les convives sont présentement attablés dans la grande salle à manger du château. Le vieux parquet de bois craque sous les pieds de l'inventeur. Le courant d'air qui passe par la fenêtre, qui a été laissée entrouverte, atténue l'oppressante odeur d'humidité. Les chambreurs partagent les mêmes toilettes à l'étage et les douches communes du dortoir au rez-de-chaussée. Modeste et exiguë, la chambre n'offre qu'un lit simple, une commode, une petite table de travail (sur laquelle on a déposé son repas sous une cloche) et un évier. En soulevant la cloche, il constate avec son index que le canard qu'on lui a servi est encore tiède. Il apprécie aussi le pain et la pointe de camembert qui accompagnent son repas, presque autant que la carafe de rouge qu'il se promet de vider. En France, on fait comme les Français, se dit-il, en s'asseyant sur le bout de son lit pour attaquer son repas, son ventre criant famine, tandis qu'il remplit son ballon jusqu'au bord.

•

Il se réveille en sursaut en pleine nuit encore tout habillé. Quelle heure peut-il être ? Un mal de tête lancinant l'importune, ce qui est récurrent lorsqu'il voyage. Et il n'arrive plus à se rendormir à cause du dérèglement de son horloge biologique. Il trouve, dans le tiroir de sa table de chevet, des clés et une lampe de poche. Il décide de sortir dehors pour investiguer les lieux, au lieu de fixer inutilement le plafond de stuc.

La nuit est fraîche, mais il se garde au chaud en boutonnant sa veste et en se passant un foulard autour du cou. Le ciel libre de nuages et la pleine lune éclairent les jardins d'une lumière spectrale ; c'est un moment idéal pour une promenade nocturne. S'il avait connu la seigneurie, il se serait même passé de la lampe de poche. Là-bas, entre les arbres, au bout du sentier qu'il a emprunté, une ombre massive dessine la silhouette du château. Il ne lui faut que cinq minutes à peine pour l'atteindre. L'heure est inconvenante pour une première visite ; il se contentera d'observer le monument de l'extérieur, en espérant qu'on ne le prenne pas pour un voleur.

La façade du bâtiment central est flanquée, à ses deux extrémités, de pavillons à plan losangé. En sautant par-dessus une rangée de bosquets et en s'enfonçant dans le boisé, il contourne le château par la gauche, en longeant un mur de grosses pierres de granit et de grès rouge, avec l'intention de voir ce qui se dissimule du côté de la façade arrière, attiré par une sorte d'inexplicable curiosité onirique. Alors qu'il s'enfonce de plus en plus péniblement dans la végétation, des corps progressent dans sa direction, ce qui le paralyse. Entre les bruits des branches qui cassent, il entend, distinctement, les cris d'une femme. Soudain, elle surgit contre lui, mais, dans son regard qu'il croise, il devine la peur que sa présence provoque, comme s'il avait été un prédateur tapi dans l'ombre pour l'attraper. Elle le repousse et poursuit sa course. Il a pu constater qu'elle ne porte que des haillons déchirés. La peau laiteuse de son corps en partie dénudée brille dans la nuit, comme si elle était phosphorescente. Un groupe d'hommes la poursuit ; il les entend passer plus loin avec des rires gras. Persuadé qu'un viol collectif se prépare, il accélère le pas jusqu'à l'entrée du pavillon arrière. Éclairé par une faible lumière, son chauffeur est là, qui grille paisiblement une cigarette. Il ne semble pas trop surpris de le voir surgir des bois telle une bête sauvage, en s'ébrouant pour enlever les feuilles et les branches collées sur ses vêtements ou accrochées dans ses cheveux.

« Ah ! c'est vous ! Heureusement. Vite. Il y a une femme en danger là-bas.

— Ne vous en faites pas. Calmez-vous. Ce ne sont que des gens qui s'amusent.

— Non, je ne pense pas.

— Mais si. Vous croiserez même la professeure demain, sirotant son café avec un croissant au petit-déjeuner, elle aura un air tout à fait normal, vous ne verrez que de petites éraflures sur sa peau. Elle aura peut-être meilleure mine que vous d'ailleurs, si je puis me permettre. *(Il pousse un soupir de découragement.)* Les intellectuels, vous êtes parfois de sacrés pervers, hein. Il suffit que vous vous retrouviez entre vous, isolés du monde, pour que vous reproduisiez les mœurs débridées des sociétés secrètes. Allez, venez à l'intérieur que je vous offre à boire.

— En tout cas, il ne faudrait pas que la délégation d'écrivaines féministes apprenne l'existence de cette partie de débauchés », répond l'inventeur, un brin rassuré par les explications du chauffeur, bien qu'il les juge confondantes.

Ils descendent un escalier en colimaçon très étroit, en se courbant pour ne pas se cogner la tête. C'est un simili donjon, où des domestiques habitent des cellules réaménagées. La lourde porte de bois et de métal donne sur un studio néanmoins assez vaste, qui contient tous les accessoires nécessaires à la vie quotidienne. Une climatisation rend l'air à l'intérieur respirable. On doit finir par oublier que c'était autrefois un cachot où croupissaient des prisonniers, pense l'inventeur. Le cognac que lui sert le chauffeur contribue du moins à ce que s'évanouisse le sentiment qu'il est emmuré et que des geôliers viendront tôt ou tard le torturer.

« On se fait un petit poker amical ? » Le chauffeur sort les cartes ainsi que de fausses pièces, ce qui rassure l'inventeur.

« Je vais tâcher de faire de mon mieux. Je suis un piètre joueur.

— Rassurez-vous. C'est pour le plaisir seulement. Ces pièces ne valent rien. Alors qu'avez-vous pensé du domaine pendant votre petite marche nocturne ?

— Pour ce que j'ai pu voir, je trouve l'endroit charmant, mais on est loin du luxe de Versailles quand même.

— Les Richier, la famille qui a fait construire le château, ne sont pas une grande dynastie. Elle a été anoblie seulement sous Louis XI. Ce que les historiens retiennent d'elle avant tout, c'est sa conversion au calvinisme. Aussitôt l'Édit de Nantes révoqué, Louis XIV a envoyé plus de quatre-vingts dragons purger la région des nobles réformés. Presque tous les Richier se sont exilés. Un seul est resté et a hérité de la seigneurie parce qu'il a abjuré sa religion. Bon, trêve d'histoire, maintenant que nous avons notre main, place au jeu, l'écrivain. Montrez-moi ce que vous avez dans le ventre au Québec. »

●

Épuisé, il a dormi tout l'avant-midi pour se remettre en forme. C'était l'aube lorsqu'il a regagné sa chambre, après avoir été battu à plate couture au poker. Il avait absolument besoin de quelques heures de sommeil. Cela ne lui aurait servi à rien d'aller entendre ses pairs disserter ce matin. Il n'aurait pas pu se concentrer. Leurs mots n'auraient été que du vent entre ses oreilles.

Lorsque, en après-midi, il entre dans la majestueuse salle des conférences, guidé par un majordome, il est ragaillardi. Avant de se présenter au château, il a pris une bonne douche aux Escures, mangé un sandwich et bu deux cafés bien tassés à l'Orangerie — une autre dépendance du domaine, où une petite salle à manger, ouverte en permanence pendant le jour, demeure accessible aux participants qui ne suivent pas l'horaire strict des repas principaux. Il reconnaît plusieurs personnes du milieu littéraire québécois, majoritaires dans l'assistance, mais sa tentative de repérer la femme croisée la nuit précédente reste vaine. Son arrivée, qui passe inaperçue, coïncide avec la fin d'une communication et, dans la salle, des intellectuels français, galvanisés, tentent de déstabiliser l'historien québécois avec leurs questions comme s'ils le tenaient sur la sellette et qu'ils testaient ses connaissances. C'est un scénario typique des colloques universitaires qui ne surprend pas l'inventeur. Dans le programme de la journée, il apprend que le sujet de la discussion est un petit livre qui regroupe des chroniques de Robert Charbonneau, *La France et nous. Journal d'une querelle.* L'historien a choisi de parler de cet ouvrage non sans raisons. Pendant la Seconde Guerre mondiale, le Canada interdisait l'importation de biens en provenance de l'ennemi nazi ou des pays occupés. Quand la France capitula en 1940, le gouvernement de Mackenzie King accorda des licences spéciales qui permettaient aux éditeurs, qui devaient verser des droits au Bureau du séquestre des biens ennemis, de rééditer des livres devenus dès lors inaccessibles, dont les œuvres françaises. Les quelques éditeurs québécois déjà établis — ils étaient alors peu nombreux — profitèrent de cette manne, d'autres naquirent carrément grâce à cette conjoncture spéciale, comme les Éditions de l'Arbre dont Robert Charbonneau et Claude Hurtubise étaient les fondateurs. À la Libération, des écrivains français ont reproché l'opportunisme et l'éclectisme du catalogue des Éditions de l'Arbre, qui, outre de grands immortels comme Baudelaire ou Proust, contenait des auteurs ayant eu des sympathies fascistes : Maurras, Drieu la Rochelle, Jouhandeau… À l'époque, des personnalités aussi imposantes que Mauriac et Aragon ont sermonné les jeunes éditeurs québécois pour leur manque de patriotisme. Robert Charbonneau, un esprit libre qui ne s'en laissait pas imposer, répliqua à ses détracteurs dans les journaux. Regroupées, ses réponses donnèrent ce livre, dont on rappelle l'existence aujourd'hui tout en réveillant chez les Français le souvenir honteux de la collaboration, d'où la réaction épidermique de quelques-uns. Tout à coup, Gaston Miron, qui ne perd jamais une occasion pour faire entendre sa voix tonitruante, se lève et s'emporte. Avec les accents clownesques qui le caractérisent, il explique haut et fort comment cette polémique a forgé l'indépendance de l'édition québécoise, qui a appris, grâce à l'exemple de Charbonneau, à faire des choix audacieux sans demander la caution morale de qui que ce soit. Cela a été un modèle pour l'Hexagone. Le spectacle de l'auteur déjà mythique de *L'homme rapaillé* dure pendant au moins une demi-heure, bousculant l'horaire de la journée, mais ravit une bonne partie de l'assistance par son exubérance légendaire, notamment les hôtes de Cerisy qui sont comblés par le style pittoresque de Miron. L'inventeur, dont l'esprit est à mille lieux du lyrisme du chantre national, cache à peine son ennui. Lui, comme bien d'autres qui ne le disent pas par politesse, pense que Miron n'est plus dans le coup depuis longtemps, mais, dans une nation fragile telle que la sienne, on ne déboulonne pas un monument, surtout pas quand il est encore vivant.

La tension est encore palpable entre les participants à l'heure du souper. L'inventeur ne se mêle pas trop à la conversation des convives qui l'entourent, sinon en affectant une imperturbable bonhomie qui, le vin aidant, détend aussitôt l'atmosphère. Peu importe d'où ils viennent, il remarque que les universitaires, tous soigneusement attifés, prennent facilement leurs aises dans cet interminable débat d'idées. Au contraire, les écrivains, et davantage les poètes, fulminent plus facilement. À sa droite, il y en a un, particulièrement véhément, aux allures de motard, qui n'hésite pas à donner le sempiternel exemple de Céline. Ne faudrait-il ni le lire ni le publier parce qu'il a écrit des pamphlets antisémites? Voyons donc. Mais on lui répond que c'est l'exception qui confirme la règle. D'ailleurs, les pamphlets ne sont plus édités de nos jours en France. « Qu'à cela ne tienne, le Québec devrait les publier sans demander l'autorisation aux ayants droit. » En aparté, l'inventeur lui fait remarquer que c'est de la provocation. Le poète affiche un sourire de connivence. Mais, à partir du moment où l'on commence à servir les plats, il se calme, et mange sans plus participer à la conversation. La pauvreté qui conditionne son existence ne l'a pas habitué à se nourrir à satiété; il profite au maximum de sa présence ici, rendue possible grâce à une subvention du Conseil des arts et des lettres du Québec, pour goûter un peu à l'abondance. Il ne laisse pas une miette dans son assiette. Une fois le dessert avalé, repu, il reprend goût à la discussion, en ne s'adressant toutefois qu'à l'inventeur avec qui il devine avoir des atomes crochus, malgré leur style fort différent. « Tu sais ce que je pense vraiment. Notre province est bien trop petite et attardée pour développer une véritable littérature nationale. C'est un vœu pieu. Un fantasme d'indépendantistes. Les Français nous ont invités à Cerisy parce qu'ils avaient envie de se changer les idées. Pour eux, nous sommes des bêtes de cirque qui ne savent pas enfiler deux phrases de suite sans trahir leur belle syntaxe d'aristocrates. Ça ne sert à rien de vouloir vivre pleinement. Nous sommes foutus en partant. Moi, j'ai ma théorie. À ce sujet, je prépare un manifeste ; j'espère que cela aura l'effet d'une bombe, comme *Refus global* par le passé. Le rôle que nous devons jouer, en tant que société mineure, colonisée et complexée, est celui d'un parasite. Nelligan a déjà tracé la voie — mais timidement quand même. Faisons mieux que le poète fou et pasticheur. Ne créons rien. Nous n'avons pas le génie collectif pour le faire. Volons aux autres leurs chefs-d'œuvre et transformons-les en une matière abjecte, à l'image de notre éternelle inculture. C'est la seule place que nous pouvons occuper pour exister un peu aux yeux d'autrui. » Le poète charrie certes, et a une indéniable propension à l'autodénigrement. Cependant, l'inventeur l'écoute très attentivement jusqu'à tard dans la soirée, car sa faconde lui donne des idées encore plus audacieuses pour son propre texte qu'il doit livrer le surlendemain.

•

Extraits de la communication de Louis Philippe intitulée « L'électrification de l'écriture ». Texte lu au colloque de Cerisy en l'année orwellienne 1984
(Publié dans une version augmentée dans le numéro 104 de *La Nouvelle Règle du jour*)

Mesdames, messieurs, nous avons beaucoup entendu parler de la littérature québécoise ces derniers jours. Il m'a semblé que, à son égard, tous les participants partagent une même inquiétude. Voici que l'on se demande, à juste titre, si elle disparaîtra alors qu'elle est à peine née. Personne ne peut blâmer ce défaitisme qui définit notre milieu. Le Québec vient de perdre le référendum sur sa souveraineté ; s'il n'y a pas de nation libre, il ne peut y avoir de littérature nationale digne de ce nom. Cela va de soi. [...] Il y a aussi que nous attirons bien peu l'attention des lecteurs. L'indifférence est la pire des choses. Et elle est double. La plus condamnable, c'est celle qui vient de l'intérieur. Les Québécois ignorent leur propre littérature, car ils la jugent inférieure à celle des grands pays, qui inonde nos librairies. Les autres nations nous le rendent bien. Le meilleur exemple est celui de la France, dont nous partageons approximativement la langue, en tant qu'ancienne colonie. La mère patrie ne s'intéresse qu'à quelques-uns de nos auteurs, dans un mélange de curiosité amusée et de politesse. Elle s'étonne encore que des coureurs des bois sachent écrire. Je ne pense pas que ce colloque changera grand-chose à ce sujet. Les préjugés sont trop tenaces. [...] Tout ne se résume pas non plus à la question de la langue. Bien sûr, c'est un aspect essentiel de notre identité, mais pas le plus névralgique. Je suis d'ailleurs enclin à affirmer, au risque de vous surprendre, que cette question-là nous obnubile au point de nous aveugler. Elle nous empêche de cerner les véritables enjeux de notre époque ainsi que ceux des temps futurs que nous aurions intérêt à anticiper. [...] En vérité, une révolution technologique se prépare actuellement en Amérique ; elle déstabilisera les vieux repères de l'Europe, fondés sur la culture de l'imprimé et la fragmentation des savoirs. Si, une fois pour toutes, le Québec choisit enfin d'assumer son autonomie, il oubliera tous ses complexes par rapport à la France, car il inventera sa propre culture, en s'inspirant des moyens déployés par l'Empire américain pour conquérir le commerce international. [...]

Ce qui me frappe le plus lorsque j'entends parler avec éloquence les penseurs français, écrivains ou philosophes, c'est la complexité de leurs idées. Je fais alors des efforts importants pour arriver à les suivre, mon attention doit se concentrer sur le contenu de leur message, un peu comme si je lisais un livre théorique. Je pourrais croire que c'est par un manque d'intelligence que je peine à comprendre la subtilité de leur langage et de leurs concepts. Du moins, c'est l'effet de domination que veut toujours produire une culture qui s'impose à une autre, à l'instar des peuples civilisés qui envahissent les peuples primitifs. (Pourtant, l'on sait tous qu'un marquis, au temps de la Nouvelle-France, n'aurait guère survécu s'il avait été abandonné dans le monde sauvage et qu'il serait mort de froid et de faim ou que des bêtes l'auraient mangé de la perruque jusqu'aux pieds. Qui est plus intelligent que l'autre alors, le civilisé ou le barbare ? Ici, c'est la situation qui décide de tout.) De mon côté, je tire plutôt la conclusion que je parle un autre langage que l'Europe, essentiellement conservatrice. La preuve en est que je parviens à dialoguer avec des machines ultramodernes et à modifier leur programmation. Les choses complexes ne rebutent pas d'emblée mon esprit. Ceux qui me connaissent et qui me lisent le savent. C'est donc autre chose qu'une incapacité intellectuelle qui détermine mon rapport au Vieux Continent. (Gaston Miron se lève et interrompt l'inventeur. Dans les actes du colloque, encore inédits — aucun éditeur ne s'étant montré intéressé à les publier —, on a reproduit le verbatim de toutes les interventions, incluant celles spontanées de l'assistance, comme c'est la coutume à Cerisy. En reprenant les exemples de son livre-maître, le poète explique les causes connues du phénomène que décrit le conférencier, qu'il attribue à l'aliénation du peuple québécois et à la diglossie qui lui est inhérente, où l'anglais dénature et pervertit la structure du français minoritaire au Canada.) *Non, je le répète. La langue n'est pas un obstacle majeur pour les écrivains. Une étude sérieuse de la grammaire, un bon dictionnaire et de la volonté suffisent pour surmonter les lacunes de notre langue maternelle. Sur le plan collectif, nos lois et une meilleure instruction populaire ont d'ailleurs contribué à corriger les problèmes de façon significative depuis 1960 et à nous sortir de la polémique autour du joual qui nous gangrenait. […] Au contraire de l'Europe, l'Amérique n'est pas enchaînée par ses traditions et montre une réelle ouverture au progrès technologique. Ici, toutes les forces y résistent. L'Europe tient à conserver les principes mécaniques de la culture typographique qui ont fait sa puissance. Avec la révolution de Gutenberg, à la Renaissance, la circulation du savoir par le livre imprimé a été un facteur d'uniformité et de continuité, deux vecteurs qui ont créé le nationalisme et l'individualisme. C'est d'ailleurs grâce à ce moyen de communication de masse que les langues vulgaires se sont normalisées. La révolution industrielle a amplifié cette organisation humaine en fractionnant la production et le travail. Tout comme le rapport à la langue qui repose désormais sur la maîtrise de l'écriture dans les sociétés alphabétisées — où la langue, dissociée du corps qui la parle, devient donc un objet étranger visualisable —, les modes de production subissent la même séparation. Les tâches se spécialisent et les individus qui les exécutent n'ont plus de lien organique avec le cosmos que, pourtant,. ils transforment. Ils sont isolés et évoluent dans un espace comparti- menté. Coupées de leurs buts, les actions deviennent répétitives. La chaîne de montage illustre à merveille ce que je suis en train de décrire. Dans ce monde analytique et fragmenté, l'unité créée est dès lors mécanique. L'homme qui participe à cet ensemble s'inscrit dans une suite linéaire dont il n'est qu'un maillon. [...]*

Hormis les poètes, les écrivains réfléchissent peu au rôle fonda- mental des médias dans leur propre travail, leur attention étant acca- parée avant tout par les idées qu'ils développent. Ce défaut est flagrant du côté de la littérature française, comme je l'ai dit aupara- vant. (Mouvement de protestation dans l'assistance.) *Ô! il y a des exceptions... Samuel Beckett, par exemple... mais ce n'est pas un Français... Vous me rétorquerez que le style compte beaucoup plus ici que le contenu, et je suis d'accord. Mais le style ne vient pas d'où vous le présumez. Ce n'est pas le génie humain ou encore celui de la langue ou de l'auteur qui l'inventent. Il ne faut plus croire à ces mys- tifications. Le média seul en est à l'origine.* (Quelqu'un crie que ce sont des sottises.) *À preuve, le passage de la plume à la machine à écrire a modifié tout autant notre relation à la parole de fiction que l'a fait celui de la littérature orale au support du papyrus. Mais tan- dis que l'Europe tentera toujours de comprendre le glissement du romantisme des manuscrits à la mécanisation de la typographie, l'Amérique, elle, plus innovatrice, sera déjà ailleurs. Le Québec aura tout intérêt à y être aussi, au lieu de se laisser enfouir sous les livres bavards et répétitifs de la France qui entravent l'avènement de son indépendance. [...] La nouvelle ère qui s'annonce est celle triom- phante de l'électricité et de l'automation. La vitesse avec laquelle les choses sont désormais produites sans même que la main de l'homme intervienne est hallucinante. Quant à l'information, elle circule et circulera de façon instantanée, et le livre, qui nous semble (mais à tort) être encore le support privilégié des connaissances, sera très bientôt vétuste. Tous les jours dans les salles de classe, le monde de l'éducation donne la preuve de ce bouleversement, bien que l'homme littéraire, de nature nostalgique, réfute ce constat avec une résistance toute pathétique. Les écoliers ont de plus en plus de difficulté à apprendre à lire et à écrire, non pas parce qu'ils sont idiots ou plus indisciplinés qu'auparavant, mais parce que cette culture qu'on voudrait leur inculquer est dépassée et qu'elle est fort éloignée de leur réalité formatée par d'autres médias qui prolongent leurs sens dans leur quotidien concret, comme le téléphone, la radio et la télévision. Ce sont ces nouveaux outils que nous devrions mettre au service de la pédagogie, sinon nous produirons des analphabètes technologiques. [...] Ce qui m'apparaît avec une très grande clarté et qui annonce du même coup des possibilités inouïes, c'est que l'ordinateur, qui concentre tous les pouvoirs de l'électricité, est plus que le prolongement d'un sens et, qu'en cela, il se distingue des autres instruments médiatiques. La roue et la voiture remplacent la motricité de nos jambes ; le téléphone accentue la distance que couvre notre voix ; l'écriture substitue l'œil à l'oreille. Mais que fait l'ordinateur ? Il singe rien de moins que notre conscience. Et il est appelé à le faire de plus en plus parfaitement. Sur le plan littéraire, les impacts de cette révolution seront énormes. Nous n'en avons présentement qu'un faible aperçu avec les premiers logiciels assez élémentaires, lesquels montrent quand même quelque chose à quoi, moi, j'ai déjà commencé à me préparer. Mon ordinateur est plus qu'une simple machine à écrire sous ma dictée, c'est aussi une machine à lire. Il comprend ce que je fais, encore imparfaitement, soit, mais c'est un début. Il est évident que, dans l'avenir, il se passera de moi et qu'il générera ses propres textes. Là où j'interviendrai, en tant que créateur, c'est dans l'élaboration de programmes d'imagination totalement inusités, que je mettrai au service de ma machine. Une nouvelle version de l'aventure humaine s'annonce, celle d'une population électrique, formant un vaste réseau global désenclavé, dans lequel nous serons tous impliqués à part égale. L'écrivain individuel disparaîtra au profit d'un écrivain collectif et tribal dans un univers technologique hyperdéveloppé.* (Fin de la communication. L'assistance est consternée.)

•

Les quelques écrivains québécois présents à Cerisy avec qui il a partagé le vol du retour ne lui ont pas adressé la parole pendant le voyage. À l'aéroport Charles-de-Gaulle, ils ont tout fait pour l'éviter. Le moins subtil d'entre eux a même feint une envie pressante de pisser quand il s'est approché de lui pour tuer le temps dans la salle d'embarquement où l'attente s'éternisait. Il n'y a que le poète motard qui semblait heureux de le voir, sauf qu'il était si défoncé que la conversation ne menait nulle part.

Après sa communication, les choses étaient allées très vite. Les organisateurs avaient aussitôt pris la parole pour prononcer le mot de clôture et rappelé les consignes pour le départ. Tôt, le lendemain matin, un autobus les conduirait jusqu'à la gare d'où ils prendraient un train en direction de Paris. On les avait priés de bien vider leurs chambres, car des participants à un colloque sur Montaigne étaient attendus dès l'après-midi. Les femmes de ménage jetteraient tout ce qui traînerait.

Avant de s'attabler pour le dernier souper, les convives étaient restés debout à boire du blanc et à picorer des hors-d'œuvre. Des groupes s'étaient naturellement formés. Pendant la semaine, des affinités s'étaient créées tandis que certains, qui se connaissaient déjà depuis longtemps, profitaient de ces derniers moments dans un château historique pour consolider leur amitié. L'inventeur percevait des bribes de conversations, assez pour saisir que tous réagissaient à ses propos, qu'ils dénonçaient unanimement. Ils continueraient d'écrire à la main ou sur leur bonne vieille Remington, jamais ils ne laisseraient un ordinateur penser à leur place. Pour eux, c'était le signe évident d'une dégénérescence. Qu'un écrivain en fasse la promotion les subjuguait, voire les scandalisait. La littérature est trop importante pour qu'on la dénature ou qu'on la salisse ainsi. Les intellectuels français se demandaient qui pouvait bien être ce type et quelles œuvres il pourrait écrire avec de pareilles idées. Enfin, que penser de ses propos sur l'Europe? Tout ce que les Québécois trouvaient à répondre pour expliquer l'inexcusable, c'est que Louis Philippe était avant tout un formaliste dont les livres assez abscons publiés jusqu'à ce jour se ressentaient de l'influence surréaliste et des expériences oulipiennes. Néanmoins, ils étaient eux aussi surpris par les propos qu'il avait tenus aujourd'hui. Ils ne connaissaient pas cet aspect tristement visionnaire de sa personnalité, sinon son étrange *Manufacture de machines*, qu'ils avaient peut-être assimilé à tort à un exercice de style inspiré du Nouveau Roman plutôt qu'à un ouvrage de science-fiction. Mais, dès que l'inventeur s'approchait, les groupes se refermaient pour l'exclure de leur cercle et se mettaient à chuchoter ou l'acceptaient à contrecœur en évitant le sujet controversé qui avait ébranlé leurs convictions et leur avait démontré que leur univers mental était en péril. C'était une situation très inconfortable pour l'inventeur, au point qu'il avait pensé rejoindre le groupe de Gaston Miron qui, lui, l'aurait sermonné haut et fort sans aucune hypocrisie.

•

À Mirabel, c'est le corps engourdi qu'il s'est assis dans le car transbordeur pour le transfert vers l'aérogare. Il ressent encore les effets du somnifère pris à Paris au moment du décollage. Cependant, il a les sens assez aiguisés pour deviner l'air suspicieux du douanier qui étudie son passeport, dernière étape à passer avant de s'affranchir pour de bon de la procession des passagers de son vol ainsi que de la délégation québécoise invitée à Cerisy. Cela ne devrait être qu'une formalité; pourtant, on lui fait signe de venir derrière le comptoir. Deux gardiens l'escortent dans une salle en retrait. Des petits détails ont besoin d'être éclaircis. L'inventeur, qui n'a rien à se reprocher, n'est pas inquiet outre mesure. Il doit y avoir une erreur. Au moment de lui redonner sa liberté, on lui servira même des excuses.

Lorsqu'il reconnaît, dans la salle d'interrogation, les deux hommes en noir qui l'avaient enlevé quelques années auparavant, son calme disparaît en un rien de temps. La porte se referme à clé derrière lui. On le laisse seul avec ses anciens agresseurs, qui lui enjoignent de s'asseoir sur une chaise de métal, devant une longue table rectangulaire. À l'autre extrémité sommeille un ordinateur. L'inventeur obéit sans dire un mot et prend place. Il vaut mieux obtempérer ; il a déjà eu sa leçon. Les lumières se ferment tandis que de l'écran émane alors un halo bleu. La figure de Bill Guterbenger apparaît.

•

Interrogatoire.

(Note de l'auteur : encore une fois, la scène se passe en anglais. Nous la livrons dans une traduction française.)

BILL GUTERBENGER
Monsieur Philippe, vous avez fait un beau voyage ?

LOUIS PHILIPPE *(laconique)*
… Oui… en général…

BILL GUTERBENGER
Je ne vous dirai pas que je suis heureux de vous retrouver. Vous vous doutez certainement qu'un homme tel que moi a beaucoup d'occupations. J'ai bien d'autres chats à fouetter que de me préoccuper d'un écrivain québécois calé en informatique.

LOUIS PHILIPPE
Mais j'ai pourtant bien respecté vos mises en garde. Je suis vraiment très surpris de vous revoir.

BILL GUTERBENGER
Je vais finir par croire que vous êtes insouciant ou que vous me sous-estimez. Rien de vous ne m'échappe, même vos pensées intimes me sont connues.

LOUIS PHILIPPE
Elles sont pourtant inintéressantes. Vous vous donneriez inutilement beaucoup de mal à les espionner.

BILL GUTERBENGER
N'allez pas vous imaginer que je m'en charge personnellement. Ne vous inquiétez pas. J'ai trop de choses à faire pour m'astreindre à un travail aliénant. Et je n'ai pas la vocation d'un esclave. Sous ma direction, il y a des médiums électroniques capables d'analyser de multiples données en une fraction de seconde. Ce sont eux qui vous surveillent.

LOUIS PHILIPPE
Eh bien ! ils ont dû mal vous informer. Demandez à vos techniciens de les réparer.

BILL GUTERBENGER
Ne me défiez pas. C'est un jeu dangereux. Mes hommes n'attendent que mon signal pour vous cogner.

LOUIS PHILIPPE
Alors, dites-moi ce que vous savez parce que, là, je suis dans le brouillard. Je ne saisis pas du tout le but de cette rencontre.

BILL GUTERBENGER

Je ne veux pas que vous deviniez mes objectifs. Ils vous seraient de toute façon impénétrables. J'attends plutôt de votre part une certaine docilité.

LOUIS PHILIPPE

D'accord. Alors comment dois-je m'y prendre pour lécher vos pieds virtuels ?

> *L'inventeur reçoit sur la tête une solide tape d'un homme en noir.*

BILL GUTERBENGER

J'ai cru comprendre que vos propos ont reçu un accueil plutôt froid à Cerisy.

LOUIS PHILIPPE

C'est donc ça. Vous vous énervez au sujet de mes spéculations théoriques. Ne suivais-je pourtant pas vos ordres en me consacrant à la littérature, que vous jugez inoffensive pour vos projets ?

BILL GUTERBENGER

Écoutez-moi bien. C'est mon dernier avertissement. Ne me prenez plus jamais pour un imbécile. Vous pensiez que je n'apprendrais pas que vous préviendriez l'Europe de l'invasion technologique qui la guette ? Sachez que j'ai des antennes jusque là-bas et que pas un coin du globe n'échappe à ma vigilance. Heureusement, les littéraires ont rejeté en bloc vos assertions, mais, dans le monde du commerce, on ne sait jamais où loge la concurrence. Sous la peau d'un spécialiste de la Renaissance peut se camoufler un espion travaillant pour le compte d'une compagnie rivale ou, pire, pour le KGB. Cessez donc immédiatement de jouer au prophète. Je ne sais pas, moi, composez des rimes, écrivez des

poèmes d'amour, racontez des histoires de cape et d'épée…
Et s'il vous prend encore l'envie de pondre un essai, faites
comme les autres et glosez sur l'œuvre d'un auteur classique.
Nourrissez vos connaissances encyclopédiques. Jouez à l'éru-
dit. Mais laissez le monde concret qui appartient aux marchands et non aux rêveurs.

LOUIS PHILIPPE *(faiblement)*
Ça, personne ne l'ignore…

BILL GUTERBENGER
Souhaitez maintenant ne plus jamais me revoir. Cela vous
serait fatal. Mes prochaines consignes vous parviendront par
un autre intermédiaire. Soyez à l'écoute et ne me nuisez plus.
Vous devrez vous abandonner et accepter que je vous manipule, puisque, de toute évidence, c'est la seule manière de
m'assurer votre collaboration.

> *L'inventeur ressent un pincement douloureux à la
> nuque puis il s'endort. Sa tête tombe lourdement sur
> la table.*

Intermède : passé et futur d'une machine

Votre histoire n'est pas originale du tout. On dirait un pauvre pastiche de 2001 du grand Kubrick. Et personne ne voudra investir un sou dans une production semblable. Quelle mouche vous a piqué ? Vous connaissez pourtant nos capacités financières. Québec n'est pas Hollywood. Tenez, cette scène d'introduction, ce long prologue interminable, sans un seul mot français, campée en pleine jungle amazonienne, combien de fric engloutirions-nous pour la tourner ? Ça n'a pas de sens. Et vos comédiens, parlant un dialecte primitif, où les trouverions-nous ? Dans les bidonvilles de Mexico ? À en juger par votre scénario, cette ouverture durerait au moins quinze minutes. Pas un seul spectateur n'aurait la patience d'endurer ça aujourd'hui. Il aurait l'impression qu'on se fout de sa gueule. On lui annonce un film de science-fiction, c'est pour cette raison qu'il paye son billet, mais voilà que des sauvages, la bite à peine cachée par leur pagne, hantent l'écran en faisant d'interminables simagrées. Même à l'époque du cinéma muet, une telle ouverture, chargée de symboles, aurait été impossible. Le spectateur est un animal passif qui ne fournit aucun effort pour comprendre ce qu'un film ne fait que suggérer. Mais là, n'allez pas vous imaginer, prétentieux comme vous l'êtes, que je suis en train de dire que votre scénario est trop brillant pour la moyenne des ours. Je vous rappelle que je ne fais pas seulement dans le cinéma commercial. Je prends parfois des risques, vous le savez, même si j'ai la conviction que je perdrai de l'argent en pratiquant l'art pour l'art. Je suis un cinéphile avant tout. Je connais mes classiques. Mais je sais que les critiques même les mieux avisés nous descendraient avec une telle prémisse. Ils inviteraient les gens à voir 2001 plutôt que notre production minable et réchauffée. Que comprendraient-ils, dites-le

moi, de votre idée de remplacer le monolithe par une machine à écrire ?
Pourquoi le jeune sauvage, qui a trouvé la chose comme tombée du
ciel, réussit-il à supplanter le chaman de son village et à s'attirer les
faveurs sexuelles des demoiselles aux longs tétins ? Que diable, il ne
peut rien faire avec une Remington, il ne sait pas écrire ! C'est invrai-
semblable ! Kubrick, lui, dans son film créait du mystère alors que
vous, le dilettante, vous semez la confusion dans les esprits. À la fin,
quand le ballet intersidéral du grand réalisateur se termine, on com-
prend que le passé et le futur éloigné se rejoignent et se contractent,
comme dans une sorte de Big Bang à l'envers. Il y est question ni
plus ni moins d'un chant sur l'origine du monde et de la vie. C'est
poétique. Mais, vous, qui souhaitez nous promener aussi pendant
deux longues heures dans l'espace avec un capitaine québécois qui
conduit un grand vaisseau, vous nous concluez votre affaire assez
lamentablement. Le personnage principal n'aboutit pas, à la fin,
dans son monde intérieur et ne redevient pas le fœtus qu'il fut jadis.
Ça, c'était une bonne idée. La vôtre, ma foi, personne ne va la piger.
Quelle est cette planète au juste où le cosmonaute pose les pieds ? Un
dépotoir de bidules ? Des téléphones, des caméras, des ordinateurs, des
satellites… Avec, au milieu, comme si elle trônait là sur un piédes-
tal, la Remington du début du film. Le plan final qui nous remontre
la planète cachée au fond de la galaxie devrait nous proposer un sens
à tirer de votre cinéma expérimental, mais il n'arrange rien. Vous
larguez plutôt le spectateur. Il sortira frustré de la salle. Ça, c'est la
pire des choses pour un producteur. Ce serait un suicide commercial.
Votre référence, personne ne la saisira, hormis quelques intellectuels
ici et là. Faire apparaître le visage fantomatique de Marsall McLuhan
dans la stratosphère comme la clé de l'énigme de votre bouillabaisse.
Franchement, moi, j'en perds mon latin. Pis, tout le monde va croire
que c'est plutôt Big Brother qui surgit dans les nuages telle une divi-
nité. Oubliez ça, si vous voulez mon conseil d'homme d'expérience.
Jetez votre scénario aux poubelles. Ne l'envoyez surtout pas aux
conseils des arts, sinon vous perdrez toute votre crédibilité auprès des
évaluateurs. On ne vous accorderait plus jamais une subvention
pour produire un film, même pas pour une comédie romantique avec

des grosses vedettes. À la limite, écrivez un roman ou un essai. Les lecteurs sont plus indulgents à l'endroit des idées farfelues. Allez, maintenant, dehors. Travaillez à des choses sérieuses puis revenez me voir avec un autre projet digne de votre talent.

3

Notes de carnet

On ne sait trop comment cela est possible, bien que la mécanique de base soit connue. Mais il reste que, la nuit, des rêves s'agitent sous les paupières. Comme si, à l'intérieur du crâne, il y avait une salle de cinéma, un écran et un projecteur. Personne ne connaît véritablement le scénariste ni le réalisateur qui devinent les fantasmes de chacun et qui, grâce à leur clairvoyance, parviennent à créer un monde qui est, à la fois, étrange et familier, mais, surtout, interdit. En fait, ne pas savoir d'où provient son histoire renforce encore plus l'effet mystérieux du rêve. Les anatomistes peuvent bien ouvrir le corps et exhiber ses terminaisons nerveuses, découper le cerveau en languettes, pointer du doigt un renflement bulbeux, cela demeure de la chair qui ne parle pas. Les psychiatres, eux, auront beau vous expliquer les théories de Freud, la topologie du cerveau, les pulsions refoulées, le langage de l'inconscient, ils n'ont toutefois pas d'explication pour la première des choses toutes simples qui vous troublent davantage que le déroulement des images oniriques. D'où vient ce regard qui voit dans votre tête ?

Toutes les vieilles mythologies ont leurs histoires de doubles mettant en scène des dieux ennemis. Dans la littérature fantastique, qui a éclos au XIXe siècle avec la pensée scientifique, elles ont continué de pulluler, mais sous le paradigme de la psychologie. En nous, une autre personne maléfique sommeille. Elle attend que notre partie consciente dorme pour se manifester. Cette théorie, qui prévaut encore de nos jours, repose sur un antagonisme entre le bien et le mal. Les rêves ne seraient donc que la projection de la partie néfaste et bestiale de notre personnalité que la société rejette. Afin de ne pas imploser, le cerveau libère, une fois les lumières éteintes, les pulsions qu'il a *refoulées pendant la vie diurne. Ce sont des pensées laides, abjectes et immorales qu'il vaut mieux garder secrètes, au risque de subir le châtiment de ses semblables.*

Incomplète, cette explication psychologique a néanmoins l'avantage de donner un sens à ce que l'homme expérimente quotidiennement. Et à partir du moment où apparaît une idée qui démystifie peu ou prou un phénomène étrange, l'angoisse que suscite ce dernier diminue. Ce discours rationnel sur l'origine des rêves a avant tout des visées thérapeutiques ; il ne résout d'aucune façon la question biologique du regard intérieur. Au contraire, il l'oblitère complètement. Pourtant, n'est-ce pas une évidence que l'on voit quelque chose alors que nos yeux sont fermés ? Qu'à l'inverse du jour où nos sens sont actifs, il n'y a pas, dans le rêve, un phénomène que l'œil perçoit grâce à la réverbération de la lumière qui frappe son cristallin et qui excite son nerf optique ?

Force est d'admettre qu'il y a d'autres yeux en nous que les biologistes n'ont pas encore trouvés. À moins que, pendant le sommeil, le corps se replie sous la peau, qu'il s'invagine. Que l'envers devienne l'endroit. L'intérieur remplacerait l'extérieur. En quelque sorte sous hypnose, le dormeur bougerait ainsi dans le monde de ses fantasmes qu'il ressent comme autant d'objets concrets. Ses organes, ses os et son sang seraient le décor d'un théâtre intime et tactile qui se suffit à lui-même tant que les paupières restent fermées et que les yeux se sont retournés au complet pour regarder la chambre noire du cerveau.

Mais la surface de la peau est-elle si étanche qu'elle empêche l'interpénétration du dedans et du dehors ? En tout cas, les terminaisons nerveuses ont certainement une mémoire rémanente.

•

Rêve I

On cogne à la porte. Un coup, deux coups, trois coups. L'inventeur s'extirpe difficilement de son sommeil et allume sa lampe de chevet. Les sens engourdis, il reconnaît peu à peu le mobilier de la petite chambre des Escures et, au pied de son lit, sur le meuble qu'il avait tiré jusque-là, la carcasse du canard. N'avait-il pas recouvert l'assiette avec la cloche avant de s'endormir ? Des mouches s'agglutinent sur les restes de son repas et leur vol bourdonne bruyamment dans ses oreilles. À côté, la carafe de vin est vide. Oui, il l'avait bien toute bue. Après cela, il s'était allongé sur son lit sans prendre la peine de retirer ses vêtements.

Trois coups martèlent de nouveau la porte. C'est le poète motard, qui entre subitement, sans que l'inventeur ne l'ait invité. Il porte des verres fumés même si c'est la nuit. Aplatis sur son crâne et séparés par une raie très droite, ses longs cheveux blond pâle tombent sur ses épaules. Sa peau est d'une blancheur spectrale. Son débardeur laisse à découvert ses bras et ses tatouages, qui semblent avoir été dessinés sur du papier blanc humain. Leurs couleurs sont éclatantes. L'inventeur fixe son regard sur les têtes de mort et les serpents qui, il le jurerait, sont animés.

« Mais qu'est-ce… ?

— Enfile tes souliers et un manteau, mon vieux. On sort faire une balade. »

Le dormeur montre à l'autre ses pieds encore chaussés. Le poète lui tend une veste et un foulard. Il les met prestement alors que son guide des enfers sort sans plus tarder.

L'inventeur l'entend descendre les escaliers d'un pas rapide. Le vieux bois grince horriblement. Tel Orphée, il regarde derrière lui, motivé par une inexplicable pulsion. À l'autre bout du couloir, une lumière se répand comme un liquide laiteux, celle des toilettes, dont la porte est grande ouverte. L'homme assis sur la cuvette, les culottes baissées, ne se soucie pas d'être vu en train de déféquer. Il gesticule avec ses bras et se frappe théâtralement le front. « Du papier, du papier, clame-t-il fort, batèche de batèche ! » L'inventeur reconnaît Gaston Miron juste au moment où son regard rieur, dissimulé sous des lunettes épaisses, croise le sien, et qu'il s'esclaffe avec sa gueule à la mandibule proéminente.

Pris de panique, il rejoint le motard en s'engouffrant à son tour dans les ténèbres des escaliers.

À l'étage inférieur, il aperçoit l'ombre de son guide entrer dans une pièce d'où s'échappent une lumière et une fumée vaporeuse. C'est la salle des douches. Le motard se tient à distance du spectacle offert à l'intérieur, le dos appuyé contre le cadre de la porte. « C'est un cortège de jeunes lycéennes venues nous entendre à Cerisy, animées par une curiosité au sujet de notre exception culturelle. Toutes les nuits, elles se lavent ici, dans une très grande convivialité. Je peux observer leur nudité sans qu'elles ne s'en offusquent. Certaines me regardent avec un air badin, où se mélangent l'innocence juvénile avec des intentions sulfureuses. Quant à moi, je laisse courir mon imagination et glisser progressivement mon regard vers leurs poils pubiens. Étrangement, je vis cette expérience extrême de voyeurisme fois après fois depuis mon arrivée sans avoir eu jusqu'à maintenant une seule érection. » Les rires des demoiselles forment une espèce de musique sous le bruit de l'eau qui coule en cascade sur leur corps. Certaines, plus aventureuses ou dégourdies, lavent leurs camarades et leur découvrent, de leurs fins doigts purs, des orifices méconnus.

Envoûté, l'inventeur observe les courbes des nymphettes et leur jeu érotique, avec une envie quasi irrésistible de mordre leur chair, lorsqu'il réalise que le poète s'en est allé. Il se secoue pour retrouver ses esprits et court rejoindre son guide à l'extérieur, juste à temps, car une demoiselle délurée commençait à s'approcher de lui pour l'attirer sous les douches. Maintenant qu'il sent l'air frais sur son visage et son sexe ramollir, il sait qu'il l'a échappé belle. « Tu aurais été perdu, lui confirme le poète, ces petites ogresses n'auraient pas que pompé ton sperme, elles t'auraient complètement dévitalisé. Viens, suis-moi. Je vais te montrer quelque chose d'encore plus intéressant. »

Le poète marche vers le château, mais il n'emprunte pas le sentier, il s'enfonce plutôt tout naturellement dans les bois.

L'avancée s'avère d'une facilité inouïe, comme si les deux écrivains avaient l'agilité d'une bête sauvage. Jamais les branches ne fouettent leur visage et jamais leurs pieds ne s'emmêlent dans les ronces ou ne s'enfoncent dans la boue. Les orties ont la douceur de la ouate. Les bruits jaillissent d'entre les feuilles, amplifiés comme dans un film : le chant des grillons, le hululement des hiboux, le coassement des crapauds, l'eau des ruisseaux qui s'écoule... Et ils se fondent dans ce paysage sans en perturber l'harmonie symbolique.

Soudain, un corps en détresse s'avance vers eux dans un vacarme de branches cassées et de cris de frayeur. La même femme en haillons qu'il avait aperçue pendant sa véritable sortie nocturne tombe dans les bras de l'inventeur. Elle le repousse aussitôt et poursuit sa fuite endiablée. Le poète aide l'inventeur, qui s'est retrouvé le cul dans les feuilles, à se relever. Tout près d'eux, il y a encore les mêmes hommes que l'autre fois qu'il entend rire à la perspective d'attraper leur proie. « Voilà le groupe de libertins que je cherchais. Emboîtons-leur le pas. Nous assisterons à un spectacle sadien comme seule la vieille Europe en a le secret. » Les tatouages phosphorescents du motard s'enfoncent dans les bois. Les têtes de mort ricanent.

Ils aboutissent dans une clairière, ouverte sur le ciel étoilé et la lune. La femme, complètement dénudée, est suspendue à la branche d'un chêne gigantesque dans un filet métallique, similaire à celui que l'inventeur avait découvert dans la chambre de Caroline Hébert. Ses poignets et ses chevilles sont fixés par des sangles, et une boule est enfoncée dans sa bouche à l'aide d'un morceau de tissu noué derrière sa tête. Elle a les genoux repliés sous elle, ainsi son postérieur et son entrejambe s'offrent en toute impudeur aux regards mâles. À cet endroit, les mailles du filet sont plus grandes afin de rendre accessibles au toucher, devine l'inventeur, les parties trouées du corps féminin. C'est assurément pour cet usage-là que la chose a été conçue puisque les hommes, groupés en demi-cercle, font face au sexe féminin, le vit dur sorti de leur pantalon. Le motard, qui a déjà rejoint les libertins, lui fait signe, le phallus à l'air, de s'avancer, sauf que, dans son cas — est-il aussi tatoué comme ses bras et ses épaules ? —, son membre viril a l'apparence écailleuse d'un serpent. Au bout de son gland sortent des dents effilées et une langue pointue. Un homme, qui a plutôt la tête d'un mathématicien que d'un violeur, se poste de l'autre côté, devant le visage de la femme, qu'il caresse tendrement, avant de pincer ses mamelons, qui jaillissent hors du filet et de ses seins douloureusement comprimés par le poids de son corps sur les mailles tranchantes. L'homme, qui s'est soulagé en se caressant, a arrosé sa proie ; il pousse ensuite le filet pour le faire osciller. Un mâle au sexe dressé se poste juste au bon endroit pour recevoir l'offrande et la pénétrer autant de fois que son désir l'exigera pour se satisfaire, choisissant tantôt le vagin, tantôt l'anus, au gré du balancement. « Cela peut paraître cruel de voir la femme exposée de cette façon brutale à l'appétit des mâles. Et ce l'est effectivement. Mais cette expérience fantasmatique lui procure des sensations d'une intensité incroyable. Qu'elle soit en suspension la délivre en partie des impératifs de sa chair, comme si son âme avait commencé son ascension. Mais la gravité l'attire toujours vers le bas, et c'est douloureux à cause du filet coupant, qui taillade sadiquement la chair. À cette souffrance s'ajoute la jouissance antagonique des organes pénétrés par les phallus. À cause du balancement du filet, le corps est abandonné aux lois supérieures de la mécanique, lesquelles sont régulières comme la pendule d'une horloge. L'esprit de la victime ne peut résister longtemps à cette tension. Il entre rapidement dans une extase mystique. » Le motard termine aussitôt ses explications que son tour vient. Mais son sexe danse mollement contre la femme, serpentant sur les fesses, effleurant les lèvres du vagin devenues pulpeuses par l'excitation répétée. Puis le phallus du motard mord vivement dans la chair, arrachant des morceaux. Le sang gicle tout autour et souille l'inventeur. Lorsqu'on le place à son tour devant la femme, il voit venir vers lui, comme dans un zoom grossissant, un corps saignant et des trous ouverts sur une anatomie qui emprunte le chemin labyrinthique des intestins. Il n'éprouve aucun désir sexuel pour cette matière-là, mais plutôt une fascination malsaine à laquelle se mêle, de plus en plus fortement, un sentiment de dégoût. Cela devient assez cauchemardesque pour le sortir pour de bon de son rêve.

●

Le réveille-matin affiche dix heures dix. Voilà une belle heure binaire, pense l'inventeur, en étirant ses membres ankylosés. Les stores fermés empêchent la lumière du jour d'entrer dans sa chambre ; le ciel est par ailleurs assombri par de lourds nuages mélancoliques. Il s'est promis de se reposer aujourd'hui. Avant de reprendre le travail à la Tour, il restera enfermé quelques jours chez lui, avec l'accord de son patron ; il avancera ses recherches. Mais ses rêves, d'un réalisme saisissant, ne laissent pas son esprit en paix. Le nouvel interrogatoire avec Bill Guterbenger lui a causé un stress qui perturbe, de manière inconsciente, son calme habituel.

Du revers de la main, il chasse une toupie anti-gravité qui s'approche trop près de son visage. Dans la pièce, trois autres toupies illuminent la pénombre — elles ont des témoins réfléchissants rouges sur le tour de leur tête, comme les yeux d'une mouche. Il ne sait pas comment arrêter la vie qu'il leur a donnée et qui les anime. À bien y regarder, elles sont immortelles. Leur seule fonction limitée consiste à tourbillonner, mais les objets ont néanmoins une indéniable supériorité sur leur créateur qui, lui, s'éteindra un jour.

Du salon provient le ronronnement des ordinateurs, eux aussi en vie, grâce à l'électricité. Le satellite qu'il a lancé dans le ciel montréalais les nourrit perpétuellement. De nombreuses données sont stockées sur des disques durs externes, que l'inventeur emmagasine à une vitesse folle. Bientôt, l'espace ne suffira plus pour ranger tout ce métal lourd ; il songe à louer un autre appartement dans son immeuble. En ce moment, un ordinateur génère des questions pour le quiz *Que le meilleur gagne !* D'ici une semaine ou deux, l'inventeur compte remettre les scripts d'une saison complète à Victor Théberge afin d'honorer la première partie de son contrat. Si la chose est concluante, il pourra produire encore plus rapidement les prochaines saisons en concentrant tous les ordinateurs de sa flotte personnelle sur cette seule tâche. Il appréhende cependant la réaction de Caroline Hébert lorsqu'elle apprendra qu'il est à l'origine du renvoi de nombreux scripteurs parce que leur travail a été automatisé grâce à ses logiciels. Peut-être qu'elle, elle conservera au moins son boulot puisque Radio-Canada aura toujours besoin d'une hôtesse aussi élégante pour accueillir les participants à ses émissions et les invités de prestige sur les divers plateaux.

Incapable de se rendormir, il se rend à la cuisine pour préparer un déjeuner. Son ventre gargouille. Il met deux tranches de pain à griller dans la boîte chauffante sur le comptoir et, en attendant, il va uriner dans les toilettes, quelque peu étonné que sa bite soit molle sous son vieux pantalon de pyjama rayé. Le rêve érotique dont il vient de s'extirper aurait dû durcir le membre entre ses jambes. Mais, bon, le corps a des lois secrètes qu'il ne devine pas toujours. Il suppute que son cœur fatigué par le voyage et le décalage horaire n'avait pas l'énergie nécessaire pour pousser le sang jusqu'à cette extrémité. Ou qu'il a été vraiment dégoûté par la boucherie finale au point de complètement débander.

•

Autrefois disposés en pyramides dans les coins du salon, les téléviseurs ont été entassés contre un mur pour faire de la place depuis l'arrivée des ordinateurs. Empilés les uns sur les autres, les postes forment deux rangées qui montent jusqu'au plafond. Le câble coaxial qui leur transmettait des images a été coupé ; ils sont désormais reliés à l'ordinateur central qui leur envoie les signaux de son fonctionnement interne. Les millions de points que produisent les faisceaux cathodiques sur les écrans affichent à l'infini, sur un fond noir, des 0 et des 1 verdâtres, dans un ordre qui paraît aléatoire. La série des deux nombres, qui apparaissent et disparaissent à une très grande vitesse, s'organise en plusieurs colonnes. De loin, avec une vue d'ensemble, la tapisserie des écrans palpite de concert, comme si une nuée d'insectes voltigeait dans le cadre restreint et rectangulaire du mur de téléviseurs.

●

Tandis qu'il tire la chasse d'eau et qu'il sort des toilettes, la boîte chauffante éjecte les rôties, grâce à un ressort qui se distend après un laps de temps fixe. Mais il croit aussi avoir entendu quelqu'un l'appeler par son nom. A-t-il halluciné ? Non, voilà que, provenant de sa chambre — là, il en est sûr —, on l'appelle une deuxième fois : « Louis Philippe ». L'inventeur ne panique pas pour autant, car la voix est robotique, ce qui signifie qu'il n'y a pas d'intrus dans son appartement, comme ces hommes en noir travaillant pour IBM. Il se souvient avoir laissé un vieux répondeur-enregistreur dans le fond de sa garde-robe où il range des objets défectueux ou inutiles pour lesquels il n'a pas encore trouvé une deuxième vie. L'appareil a dû s'actionner tout seul et il s'est mis à lire la bande magnétique d'une cassette — il découvrira bien comment et pourquoi en allant y fouiller, de même qu'il identifiera à quelle personne oubliée surgie de son passé appartient la voix d'outre-tombe. L'appel n'a d'ailleurs pas un ton autoritaire mais amical, voire doucereux. Est-ce un homme ou une femme ? Il est difficile de trancher, car le ton machinal, qui a effacé les particularités sonores propres à l'un des deux sexes, le rend indéterminé. Ce n'est ni grave ni aigu, ni froid ni chaud ; il y a une sorte de neutralité. Mais aussi, paradoxalement, une forme d'émotion inédite se manifeste dans la voix, émotion que l'on pourrait associer, en des termes humains, à un grand désespoir, comme si une supplique sourdait de connexions électriques qui réagissaient à une terrible fatalité, en tentant en dernier recours d'attirer l'aide d'un sauveur.

Il tasse les chemises suspendues à une barre et jette par terre les quelques chandails pliés sur le meuble de rangement. Sous la première tablette, il y a une boîte avec des objets divers, des fils, des piles, des calculatrices, deux téléphones, ainsi que le répondeur, résolument éteint, satisfait de son inexistence de machine abandonnée. La voix ne venait pas de là, d'autant plus, constate l'inventeur, qu'il n'y a pas de cassette dans le lecteur. À moins que… Sur la tablette au-dessus de la barre, il a déposé la boîte d'IBM que ses tortionnaires lui avaient laissée après son premier ravissement. En la sortant de l'armoire, il sent que ça s'active à l'intérieur. La tête de son clone s'est finalement déprise de son long sommeil, mue par une réserve d'énergie dont il n'avait pas soupçonné la présence. La tête grimace quand il la prend par les cheveux, mais aussitôt qu'il la dépose sur sa table de chevet, elle lui sourit amicalement.

« J'étouffais là-dedans. Merci. Ah ! je me sens revivre.

— Je te croyais désactivée pour toujours. Si tu n'avais pas appartenu à IBM, je t'aurais même ouvert le crâne depuis longtemps pour comprendre ton fonctionnement. Ce qui aurait anéanti toutes tes chances de renaître. J'avoue que je suis très surpris de ton retour à la vie.

— Dans les limbes où j'étais, on perd la notion du temps. Moi, j'ai l'impression qu'on vient tout juste de me couper la tête. D'ailleurs, je me demande bien où on a foutu mon corps.

— Ne compte pas trop sur moi pour le trouver. Je ne veux plus jamais revoir ceux qui t'ont fait ça. Ils pourraient bien me réserver le même sort. Tu sais que des années ont passé depuis qu'on t'a livré ici dans une boîte ?

— T'es sérieux ? Merde ! J'espère qu'ils ne t'ont pas trop ennuyé.

— J'ai suivi leurs conseils et me suis limité à des activités informatiques plus discrètes. Mais je viens de revoir le spectre virtuel de Bill Guterbenger, qui m'attendait à Mirabel à mon retour d'un séjour en Europe. Il m'a sermonné de nouveau, et menacé aussi, plus franchement que la première fois. Je suis d'ailleurs persuadé que ta résurrection est reliée à tout ça. Ne serais-tu pas une espèce de chien de garde ?

— Je ne connais malheureusement pas toutes les intentions de mon créateur en ce qui me concerne. Comme toi par rapport au Tien, j'ai une conscience limitée au sujet de ses attentes. Sois toutefois assuré que je détesterais apprendre que je remplis une pareille fonction qui consisterait à te trahir, toi dont je suis le double et en qui je peux me projeter.

— C'est vrai que tu me ressembles beaucoup… C'est saisissant. On dirait même que tes traits ont vieilli malgré ton inactivité. Tu es une réplique exacte de moi à l'heure présente. Je ne sais trop comment cette peau caoutchouteuse s'y prend pour aussi bien simuler la vie et son usure (*l'inventeur touche le visage avec ses doigts pour étudier sa texture*).

— Mais alors qu'as-tu fait pendant que je végétais dans ton armoire ?

— Je me suis occupé à des choses qui n'ont pas abouti, tandis qu'IBM et Microsoft, comme tu seras sans doute heureux de l'apprendre, ont étendu leur empire commercial. Côté littérature, c'est la panne sèche. J'ai quelques idées novatrices, mais les coteries d'écrivains établis me créeraient bien des misères si je les mettais en pratique, comme en témoigne la résistance à laquelle je me suis frotté à Cerisy. Je t'expliquerai tout ça un jour si tu en as la patience. Ce sont des vertiges théoriques qui anéantissent pour de bon le rapport romantique à l'écriture.

— Y a-t-il un lien avec tous ces ordinateurs en fonction dans ton appartement?

— Tu les sens jusqu'ici?

— Oui, je suis très sensible aux ondes magnétiques. Il y a, ici, une activité très forte et condensée. Mais, à l'extérieur, le ciel — pour ce que j'en devine entre les murs de ton appartement — m'apparaît beaucoup plus surchargé qu'autrefois. Le monde serait-il devenu, pendant mon absence, une immense toile électrique? On dirait bien que oui. Tu m'emmèneras sur le toit de ton immeuble pour que j'apprécie mieux cette activité surprenante.

— Viens, il me faut un café *(il prend la tête par les cheveux et la transporte jusqu'à la cuisine, où il la met sur la table. De là, elle peut observer l'exécution de ses gestes domestiques).* La grande différence avec la première mise en garde de tes patrons est que, cette fois-ci, je ne possède plus illégalement des prototypes d'ordinateurs, réservés à l'usage exclusif du gouvernement canadien. Les miens ont été achetés tout bonnement dans une boutique montréalaise. Bien sûr, je ne peux pas m'empêcher d'améliorer leur programmation, mais je ne suis certainement pas le seul curieux sur cette planète qui s'évertue à transformer ces machines. Je t'avoue que je ne comprends pas pourquoi on s'intéresse encore à mes tribulations. Je ne suis qu'un pauvre Québécois, pas un révolutionnaire socialiste russe qui veut détruire les fondements du capitalisme américain ou je ne sais trop quel type d'extraterrestre qu'imaginent les Sudistes paranoïaques qui ont infiltré la Maison-Blanche.

— N'essaie pas de comprendre leurs agissements. Les Américains sont des impérialistes qui ne croient qu'en leur puissance. Leur liberté les aveugle complètement. Ils ne réalisent pas qu'ils sont des autocrates pour le reste du monde. La chose qui est certaine, c'est qu'ils t'écraseront tôt ou tard s'ils soupçonnent que tu nuis à leur commerce, et ils le feront avec la conviction que Dieu les absout.

— Ma faute est certainement d'avoir été avant-gardiste. Si je ne les avais pas pris de vitesse au départ, ils ne se seraient jamais méfiés de moi.

— Ne revenons pas sur le passé, je t'en prie. C'est trop douloureux. Cela me rappelle que j'avais un corps.

— Oh! le passé m'est aussi une vallée de larmes. Il suffit que je me tourne un peu vers lui pour que je devienne mélancolique. »

Les deux personnages se taisent tout à coup et se perdent dans leurs songes bilieux. La tasse fumante réchauffe les mains de l'inventeur, qui se recroqueville sur ses secrets intimes. S'il avait un odorat, le robot humerait l'odeur du café juste devant lui.

●

11 septembre 1984. Soulèvement dans la Tour

Hormis les cadres, personne ne peut rentrer dans la Tour. La chaîne télévisée de Radio-Canada diffuse un message qui annonce des problèmes techniques et un retour prochain à la programmation régulière. Des gardiens assurent un périmètre de sécurité à l'extérieur et les travailleurs sont refoulés dans le stationnement. Personne ne connaît la raison de ces mesures exceptionnelles. Ceux qui sont employés de la société d'État depuis longtemps confirment aux autres qu'ils n'ont jamais rien vu de tel. Il doit se passer des choses graves dans l'immeuble. En retrait se tient Caroline Hébert avec un groupe d'une dizaine de scripteurs, des individus à l'air bohème, lesquels discutent à voix basse. Ils semblent soucieux. Tous admettent n'avoir aucun rapport avec les événements. Il est encore trop tôt pour que commencent leurs actions de sabotage; un geste individuel pourrait compromettre leurs plans. L'inventeur aurait-il quelque chose à voir là-dedans ? Caroline Hébert en doute beaucoup, mais elle promet de tirer tout ça au clair. L'homme n'est pas facile à cerner et elle ne l'a pas vu depuis plus d'une semaine. Il serait allé en Europe elle ne sait trop quoi faire.

•

Dès le début de leur journée, très tôt à l'aurore à peine née, deux charroyeurs inspectent tout l'étage du treizième sous-sol. Pour faire leur ronde, ils conduisent une espèce de petite jeep électrique dont les phares illuminent les couloirs obscurs. Le chemin est compliqué, mais ils le connaissent désormais par cœur et ils devinent à l'avance les coudes et les détours. L'humidité est écrasante et l'odeur de sépulcre, étouffante. Ils s'y sont toutefois habitués, même les rats qu'ils croisent sur leur chemin ne les impressionnent plus.

Une boule de métal permet de fixer une queue de cinq chariots derrière le véhicule. Après leur tournée, ils s'arrêteront au poste des charroyeurs pour recevoir leurs instructions et savoir ce qu'ils transporteront, et ils attacheront alors le train de chariots. Certaines commandes sont stables, car elles respectent la programmation hebdomadaire ; mais il y a aussi, d'une fois à l'autre, des variations, surtout en lien avec les reportages journalistiques, qui sont dépendants de l'imprévisible actualité. La marchandise est ensuite mise dans des convoyeurs, si elle doit accéder à d'autres étages, ou simplement transportée dans des locaux à proximité. Derrière les portes closes, le treizième sous-sol grouille d'une activité intense à cause des ateliers de fabrication et de réfection, dont l'existence demeure très confidentielle. De plus, on y trouve un important entrepôt de mannequins robotisés, où dorment plusieurs spécimens très en demande qu'on doit souvent aller cueillir. Comme à tous les étages du sous-sol, il y a, au bout du long corridor principal, une chute à déchets, qui se jette dans l'immense four crématoire. La chute dégage une chaleur insoutenable lorsqu'on ouvre son tiroir de fonte hermétique pour y balancer quelque chose, car le treizième sous-sol touche presque aux limites des abîmes de la Tour et au feu qui couve dans son ventre souterrain.

Délesté de ses chariots, le véhicule électrique peut atteindre une vitesse maximale de cinquante kilomètres-heure. Les charroyeurs n'hésitent pas à appuyer sur la pédale d'accélération, surtout que les couloirs sont déserts à ce moment de la journée. Leur ronde matinale est de plus une simple formalité, car il n'y a jamais rien à noter ; que pourrait-il se passer d'inhabituel dans les profondeurs quasi inaccessibles de la Tour ? Les déplacements des employés autorisés sont contrôlés de très près ici-bas. Les charroyeurs n'ont jamais rien signalé aux gardiens, sinon des bris quelconques dont se charge le service d'entretien.

C'est ainsi que le conducteur passe vite devant la porte ouverte de l'entrepôt sans réagir. Encore endormis et devenus négligents à cause de l'habitude, les charroyeurs n'observent pas avec zèle les moindres recoins, comme au temps de leur entrée en fonction. Mais le coéquipier, qui sirote un café encore chaud dans son thermos, aperçoit, un peu par hasard, une ombre, les yeux plissés pendant qu'il avale une gorgée :

« Stoppe, mon vieux. J'ai cru voir que la porte de l'entrepôt est ouverte. Recule. Je dois en avoir le cœur net.

— Tu as certainement halluciné. On n'a pas encore désactivé le système d'alarme. Un signal aurait été envoyé aux gardiens si les contrôleurs n'avaient pas fermé la porte avant de quitter le sous-sol la nuit dernière.

— Je le sais bien. Mais je veux quand même m'en assurer. Ce ne sera pas pendant mon quart de travail qu'il y aura une anomalie de cette envergure que les patrons associeront à l'incompétence de leurs employés, dont la nôtre au premier chef. C'est notre rôle d'empêcher les problèmes. Je ne tiens pas à recevoir des sanctions. Toi non plus, j'en suis convaincu. »

L'autre charroyeur ronchonne un peu entre ses lèvres tout en conduisant laborieusement le véhicule en marche arrière, lequel n'est pas conçu pour reculer sur une longue distance. Un gyrophare tournoie et drape le couloir d'une lumière rouge. Le véhicule zigzague lentement. Arrivé enfin près de l'entrepôt, le charroyeur qui avait cru voir quelque chose d'inhabituel descend immédiatement : « Ostie ! c'est ça. C'est grand ouvert. Avise tout de suite les gardiens. *(Avec sa lampe de poche, il éclaire le haut du cadre de la porte à l'intérieur de l'entrepôt.)* Les détecteurs ont été brisés. Le contact ne se fait plus. Il n'y a pas de signal. Merde ! que s'est-il passé ? »

Après avoir tâté avec nervosité le mur, il trouve le commutateur et allume les lumières. Le spectacle de désolation qui s'offre à lui le désarme complètement. L'entrepôt n'est plus qu'une longue suite d'étagères vides. Hormis quelques morceaux abandonnés ici et là, des membres arrachés ou des bouts de squelettes métalliques désassemblés, tout s'est volatilisé, il ne reste plus personne, tant dans la section des émissions de variétés que dans celle des reportages. Les cellules des animateurs, des personnalités et des quidams n'ont pas échappé à l'ouragan qui n'a fait aucune discrimination. Cela ne peut pas être un vol. Comment aurait-on sorti les androïdes de la Tour ? Cet entrepôt en compte au moins trois cents. Cela est insensé et dépasse l'entendement du charroyeur, soufflé par un vent de panique. Le conducteur, qui est toujours en contact avec les gardiens grâce à son talkie-walkie dont le récepteur est épinglé sur son épaule droite, s'approche et sent ses jambes défaillir à la vue de l'entrepôt désert. Malgré son incrédulité, il se ressaisit et annonce un code rouge à son outil de communication.

« Vite. Remontons dans la voiture. Retournons à notre poste.

— Où sont-ils passés ? Ils sont certainement encore dans les sous-sols. Aux étages supérieurs, on les aurait déjà aperçus.

— Tu as constaté ? On dirait qu'il y a eu de la résistance. C'est un quasi-charnier là-dedans. Des corps ont été massacrés. »

Le véhicule roule à pleine vapeur, accrochant les murs de pierre lorsqu'il tourne pour s'infiltrer dans un autre corridor. Soudain, dans un détour, une silhouette surgit devant la jeep, qui la heurte de plein fouet et roule par-dessus ; les charroyeurs sentent des secousses sous leurs pieds. Les bruits mats de la collision produisent un étrange effet de réalisme. Les deux hommes sortent rapidement du véhicule et se dirigent vers le corps inerte et désarticulé de la victime. Rien ne va plus.

« Bon sang, c'est Bernard Derome !

— Là, on est foutus. Il est complètement cassé. On ne nous le pardonnera jamais.

— Peut-être pas si on parvient à retrouver les robots en fuite avant que d'autres malheurs n'arrivent. Nous limiterons les dégâts. Mettons Derome dans le véhicule et espérons que les techniciens du laboratoire de réfection pourront le réparer avant le téléjournal de ce soir. »

Tant bien que mal, ils couchent l'androïde sur la banquette arrière du véhicule en pliant ses membres pour qu'ils ne dépassent pas de l'habitacle. Ils reprennent leur route, mais plus lentement cette fois-ci. Ils ne tiennent pas à renverser de nouveau un déserteur. L'homme assis dans le siège du passager éclaire avec un projecteur les couloirs que le véhicule n'emprunte pas et aperçoit, au bout de l'un d'entre eux, des formes qui se meuvent près d'un convoyeur. « Holà ! ne bougez plus ! » L'ordre lancé par le charroyeur a malheureusement l'effet contraire ; les robots s'activent davantage et s'engouffrent plus vite dans la gueule noire du mur. Le temps que le véhicule revienne sur ses pas et qu'il avance dans le couloir, trois corps ont disparu, transportés vers d'autres étages de l'immeuble. Il ne reste plus que le meneur du groupe, celui qui aidait les autres à entrer dans le convoyeur et qui pressait les boutons de commande. Doté d'une force qu'ils ne soupçonnaient pas — ils les avaient toujours vus dociles —, le robot repousse les charroyeurs qui tentent de l'immobiliser. Le conducteur s'assomme contre la jeep et voit des étoiles, mais, avec l'énergie du désespoir, son coéquipier se relève et attrape le robot par une cheville juste avant qu'il ne mette un pied sur le tapis roulant. La machine se débat férocement puis elle mord la main du charroyeur jusqu'au sang, qui, vaincu, la retire en criant de douleur.

« Le salaud, aïe ! le salaud…

— Où est-il ?

— Dans les murs, lui aussi.

— Ils étaient au moins quatre.

— Ouais… Et ils peuvent resurgir n'importe où dans l'immeuble. Les gardiens doivent absolument les arrêter. On dirait qu'ils ont la rage. Merde ! je dois aller au poste au plus sacrant. Ce que ça fait mal. Il m'a presque arraché la moitié de la main. Le sang pisse… Je pense que c'était René Lévesque.

— Je crois aussi l'avoir reconnu. Viens, monte. Moi, j'ai le crâne en compote. Il est fort comme un bœuf, le maudit. Finalement, c'est sans doute une chance que nous ayons frappé Derome, il nous aurait peut-être résisté lui aussi et réduits en charpie. Mais, ma foi, qu'est-ce qu'ils ont ces robots à être aussi détraqués ? J'y pense, il ne faudrait pas qu'un groupuscule ait des envies suicidaires et qu'il se jette dans le four crématoire… »

•

Il a été facile pour les gardiens d'arrêter certains androïdes en bloquant l'issue des convoyeurs sur les étages. Les machines vivantes s'empilaient, tassées les unes sur les autres contre les panneaux. On laissait ensuite une petite ouverture par laquelle seulement un robot à la fois pouvait se glisser en rampant. Les gardiens l'immobilisaient sur le tapis roulant

en le maintenant couché sur le ventre, déchiraient ses vêtements, appuyaient sur le bouton entre les omoplates pour
l'éteindre et retiraient la pile. Ainsi, on s'assurait qu'il ne
reprendrait pas vie de façon inopinée. D'autres, plus vigou-
reux, ont toutefois réussi à forcer les issues avant d'être interceptés, car, à une heure aussi matinale, les agents présents ne
suffisaient pas pour sécuriser tous les étages de la Tour. Ces
évadés créaient un vrai problème. Ils se promenaient librement dans les couloirs et adoptaient un comportement imprévisible lorsqu'ils croisaient un humain, lequel ne détec-
tait pas nécessairement leur vraie nature. Les automates
pouvaient aussi bien prendre la fuite que montrer des signes
d'agressivité. Les gardiens donnèrent l'ordre aux cadres et
aux équipes de production déjà au travail de se barricader, le
temps qu'ils aient inspecté tout l'immeuble, dont on condamnerait les accès pour la journée, tel que le prescrit le
code rouge. Une fois la situation maîtrisée, on escorterait les
travailleurs à l'extérieur sans répondre à leurs questions,
sinon vaguement en parlant de problèmes électriques majeurs
dans le réseau central. En après-midi, il fut cependant difficile de déterminer si l'immeuble avait été complètement net-
toyé, car on ignorait combien de robots s'étaient jetés dans le
four crématoire, comme l'avaient supposé les deux charroyeurs dont l'intuition avait été confirmée par des contrôleurs qu'on avait envoyés en hâte à la chute à déchets du treizième sous-sol. Ils avaient été violemment couchés par terre
par deux robots tandis que les autres se lançaient dans le feu,
en file indienne, hagards comme des zombies. Les contrôleurs avaient compté au moins une quinzaine de suicidaires.
Ce gaspillage de ressources onéreuses exaspéra au plus haut
point le directeur de Radio-Canada, tout comme l'inquiétait
la perspective qu'un robot ait échappé à la vigilance de ses
gardiens et qu'il ne finisse par s'échapper à l'extérieur et
perturber l'équilibre fragile de la société montréalaise.

•

*Réunion extraordinaire en soirée des dirigeants de
Radio-Canada au sommet de la Tour. Il n'y a qu'un
seul point à l'ordre du jour : le soulèvement des robots
entreposés au treizième sous-sol.*

PRODUCTEUR I

Je suggère que nous retardions le début de la diffusion de la
programmation d'automne. Repoussons-la d'une semaine au
moins. Jouons des reprises. Quant aux bulletins d'information, préservons les équipes estivales. D'ici là, on travaillera
d'arrache-pied dans les ateliers et laboratoires pour reproduire ou réparer les doubles de nos animateurs et de nos
journalistes.

PRODUCTEUR II

L'équipe du *Téléjournal*, qui est rentrée au compte-gouttes en
fin d'après-midi, est sous haute surveillance. Aucune pertur-
bation n'a encore été signalée. Nous sommes arrivés à produire le bulletin de dix-huit heures sans trop d'anicroches.
Celui de vingt-deux heures en reprendra les grandes lignes.
Pour l'édition du *Point* qui suit, nous avons fouillé dans nos
banques de reportages spéciaux. Ça ira aussi de ce côté. Nous
avons trouvé quelque chose d'inédit sur les phoques d'Alaska,
ainsi que quelques autres reportages, dont un assez surprenant sur les imitateurs des vedettes du *heavy metal* qui rem-
plissent les boîtes de nuit de la métropole. Bref, on pourra
sauver les apparences d'ici à ce que nous revenions définitivement à une situation normale.

LE DIRECTEUR

Théberge, l'inventeur que vous venez d'embaucher ne pourrait-
il pas nous être d'un quelconque secours ?

Victor Théberge

C'est encore trop tôt. Il suit toujours sa formation et ne m'a pas encore remis sa première ébauche de scripts automatisés. Je ne jurerais pas non plus tout de suite de son entière fidélité si on l'initiait aux arcanes de la Tour.

Le directeur

Restons prudents. Vous avez raison. Ne précipitons pas les choses. Alors, quelqu'un peut-il me dire quelle mouche a piqué ces satanés robots?

Producteur I

Si vous le permettez, j'ai fait venir le chef des techniciens de l'atelier de réfection. Il attend derrière la porte. Son point de vue pourrait nous éclairer sur la cause des événements.

Entrée d'un homme aux allures de troglodyte.

Le technicien

Messieurs, les androïdes qui ont été retournés au laboratoire ne présentent aucune anomalie. Il n'y a aucun dysfonctionnement dans leur système. Nous avons remis en marche quelques-uns d'entre eux afin de les observer et ils agissent normalement. Il y a seulement la réplique de René Lévesque que nous avons gardée en isolement, car son comportement est bizarre. Le robot avait d'ailleurs agressé plus tôt ce matin un charroyeur qui tentait de le retenir pour ne pas qu'il s'échappe dans un convoyeur. Il a mordu férocement l'homme à la main. Nous avons même dû nettoyer le sang qui avait séché sur le menton de l'automate. De plus, il a fallu plusieurs gardiens pour l'immobiliser alors qu'il tentait, avec une étonnante fureur, de forcer la porte du plateau du quiz *Que le meilleur gagne!* Je suppose que ce robot est à l'origine des problèmes. Pour une raison que j'ignore encore, il s'est animé durant la nuit et a actionné tous les autres corps.

Probablement qu'il les a convaincus de le suivre et de s'échapper avec lui, voire de prendre le contrôle de la Tour. Quelques membres du groupe auraient offert une résistance, surtout des androïdes anglophones d'après les pièces retrouvées dans l'entrepôt. Ils ont été sauvagement battus. Eux, il sera impossible de les réparer.

PRODUCTEUR I
Est-ce la première fois qu'un robot prend de telles initiatives qui vont au delà de sa programmation ?

LE TECHNICIEN
Pas vraiment. Ils ont cette faculté inscrite en eux, car ils sont dotés d'une mémoire et d'une activité cognitive qui leur permettent de tirer des leçons de leurs expériences. En quelque sorte, une toute petite conscience les habite. Mais c'est quand même assez rudimentaire ; jamais je n'ai vu un androïde prendre ainsi vie par sa seule volonté. Qu'il fomente une rébellion contre les humains et qu'il convainque ses pairs de semer le désordre avec lui dépasse mon entendement. Il faudra certainement étudier la possibilité d'un sabotage.

LE DIRECTEUR
Récemment, n'y a-t-il pas eu une intrusion dans cet entrepôt ?

VICTOR THÉBERGE
Après son entrevue d'embauche, l'inventeur s'est retrouvé là par hasard… du moins, je le croyais… Vous connaissez mon penchant pour la dive bouteille… Pour amadouer mes collaborateurs, j'ai l'habitude de leur offrir quelques verres lorsque je les rencontre dans mon bureau. Quand il m'a quitté, l'inventeur avait la démarche assez chancelante. J'avais donc présumé que, ivre, il s'était perdu dans les dédales de la Tour et qu'il s'était retrouvé au treizième sous-sol malgré lui.

Les gardiens l'ont découvert inconscient devant la porte de l'entrepôt. Il s'y était sans doute introduit, comme un chien dans un jeu de quilles, car des robots étaient tombés par terre, dont René Lévesque. Je n'ai jamais évoqué le sujet avec lui, et il ne l'a pas fait non plus. En optant pour le silence, je voulais semer le doute dans son esprit et lui faire croire à un mauvais rêve. Je pensais avoir réussi.

LE DIRECTEUR
Aurait-il eu le temps de trafiquer le robot?

LE TECHNICIEN
C'est une opération complexe et longue. L'inventeur est passé très rapidement dans l'entrepôt. Cela m'étonnerait donc qu'il ait pu faire quelque chose de la sorte, à moins qu'il ait développé des trucs sophistiqués qui dépassent mes connaissances. En plus, d'après ce que je viens d'apprendre, il était ivre. Je doute donc fort que nous puissions relier les deux événements.

LE DIRECTEUR
Mais le comportement de René Lévesque n'avait-il pas montré d'autres signes inhabituels qui auraient pu laisser présager sa soudaine révolte?

PRODUCTEUR II
Vous savez que les robots ont tendance à subir l'influence de leur version originale. C'est un phénomène de mimétisme que la technologie n'arrive pas encore à expliquer, mais qui, sur une base strictement humaine, se conçoit aisément. La carrière de notre premier ministre connaît un désolant déclin. L'échec cuisant du référendum avait déjà rendu sa réplique dépressive. La traîtrise de Trudeau au moment du rapatriement de la Constitution n'a pas aidé non plus à sortir le robot de sa mélancolie et de son complexe de perdant

qui rembrunit son âme — ou sa très petite conscience, pour reprendre les mots du technicien. Toujours est-il qu'il est surprenant que ce soulèvement survienne alors que l'équipe du *Point*, sous ma direction, tente d'obtenir une entrevue exclusive avec le vrai premier ministre dans nos studios. Cela devrait être confirmé bientôt ; il reste seulement quelques formalités à régler. Sans doute pour se justifier, René Lévesque souhaite aborder des questions litigieuses, dont les récentes réductions brutales dans les dépenses publiques qui lui ont mis à dos tous les cols blancs. Il semblerait aussi qu'il annoncerait, dans cette entrevue, qu'il ne souhaite pas faire de l'indépendance l'enjeu des prochaines élections. D'après nos informateurs, ça grenouille au sein du Parti québécois. Plusieurs ministres auraient l'intention de claquer la porte.

PRODUCTEUR I
Certains de nos employés, aux croyances plutôt ésotériques, parlent même, au sujet des liens entre les hommes et leurs répliques, de métempsychose.

LE DIRECTEUR
Là, vous m'étourdissez. Je dois comprendre quoi à vos fadaises ? Que le robot se tape une dépression et qu'il a besoin d'un psy ? Qu'il pressentait la venue du premier ministre dans la Tour et que cela lui causait un stress ?

LE TECHNICIEN
De notre côté, nous n'écartons aucune de ces hypothèses, même si elles nous semblent farfelues de prime abord. À vos deux suppositions, j'ajouterais celle que l'inventeur aurait pu dérégler le robot, même si elle me semble aussi peu plausible. D'ailleurs, un autre employé que nous ne soupçonnons pas aurait pu le saboter, en exploitant une faiblesse dans nos mesures de surveillance. Enfin, sachez que mes hommes travaillent présentement sur la réplique de Bernard Derome,

dont les blessures, après sa collision avec le véhicule des charroyeurs, sont assez superficielles. Étrangement, c'est le seul
androïde qui n'a pas adopté un comportement grégaire lors
du soulèvement. Il errait seul dans les couloirs du treizième
sous-sol au moment de l'accident. Je présume que son instinct
de journaliste a pris le dessus et qu'il a suivi les rebelles pour
témoigner plus tard de leurs actions de manière objective. Il
tentait sans doute de rejoindre un groupuscule quand on l'a
heurté. J'espère pouvoir lui soutirer de précieuses informations après l'avoir sorti de son sommeil.

●

Rêve 2

La femme en uniforme bleu étudie son passeport. Derrière l'inventeur, la file des passagers s'étire à perte de vue.
Soumis à la procédure, il attend sagement devant le comptoir qu'on exécute les formalités. Les autres derrière lui sont
étrangement calmes et silencieux. La femme, dont la maigreur laisse paraître son squelette sous sa peau blanchâtre, a
des gestes mécaniques. Sur ses cheveux blond très pâle rele-
vés en un haut chignon trône un béret dans un équilibre précaire. La peau de son visage est généreusement fardée — des
croûtes apparaissent même dans le creux des rides — et les
lèvres sont trop maquillées. Son corps se perd dans la coupe
rectangulaire des épaulettes de son veston, qui tombe raide
sur son buste plat. La femme en uniforme a l'air d'une
horrible poupée devenue subitement adulte (ou peut-être
n'a-t-elle jamais été une enfant?). Le passeport serré dans ses
mains aux longs doigts d'araignée, elle pivote vers la droite.
Son tabouret gagne de l'altitude, et s'élève toujours plus.
Bientôt, l'inventeur ne voit que ses pieds, chaussés de vertigineux souliers aux immenses talons. Puis elle redescend, en
faisant pivoter cette fois-ci son tabouret vers la gauche. Elle
rapporte de son expédition une boîte sur ses genoux, trouvée

dans un des nombreux tiroirs superposés. Elle dépose la boîte sur le comptoir, prend une paire de ciseaux dans une tasse remplie de stylos, ouvre son passeport et découpe sa photo — sur laquelle il porte la barbe, alors que, maintenant, il a les joues glabres. Elle soulève le couvercle de la boîte au fond de laquelle il y a seulement une photo de piètre qualité ; c'est, dirait-on, le portrait de la femme, mais le crâne rasé est lisse et, bien que les lèvres soient maquillées avec un rouge éclatant très féminin, l'identité sexuelle du visage est pour le moins ambivalente. Cela pourrait être aussi bien un homme dévirilisé. Elle remplace la photo du passeport par ce portrait, qu'elle colle avec du ruban adhésif, et lui remet son carnet.

Sur ce, on relève un panneau et un passage se crée à travers le comptoir, où deux hôtesses de l'air, en tous points semblables à la femme en uniforme, l'attendent pour l'escorter. Il marche avec, à ses bras, les deux corps squelettiques qui le conduisent sans parler le long d'un couloir sinueux, dont l'issue semble lointaine. Les murs et le plancher ont une drôle de texture gluante ; ils ont l'aspect rosâtre et irrégulier de parois intestinales. C'est comme si, réduits à une dimension microscopique, les trois personnages marchaient dans un corps, à la découverte du centre du monde. Au bout de leur traversée, ils aboutissent à un sas et entrent dans une grande cabine rectangulaire sans fenêtres et toute blanche, qui se met à rouler, une fois qu'ils se sont assis les uns à côté des autres. Tandis que le car transbordeur suit son chemin, les hôtesses se transforment. Leur squelette se couvre d'une chair opulente et leur anatomie gagne des attributs appétissants, dont une poitrine généreuse, qui s'échappe de l'échancrure de leur veste et de leur chemise blanche en faisant sauter quelques boutons. Il bat un sang revivifiant sous leur peau, devenu d'un bel ocre pâle ; leurs jugulaires palpitent et leurs lèvres pulpeuses se mouillent. Hypnotisé par ces papillons sortis de leur chrysalide, le regard de l'inventeur termine sa balade dans l'entrejambe des hôtesses, non, ce sont plutôt ses mains qui apparaissent là, fouillant sous les jupes très courtes qui découvrent des cuisses musclées, excitant les clitoris en forçant l'élastique des petites culottes, et caressant les bassins qui bougent amoureusement.

Lorsque le car transbordeur arrête de rouler et que sa cabine s'élève pour rejoindre la porte de l'avion, l'inventeur, absorbé par son désir, ne voit plus des hôtesses qui l'accompagnent jusqu'à l'intérieur de l'objet volant, mais des morceaux de corps qui tiennent ensemble dans une unité que ses mains pourront de nouveau bientôt démonter. Sans surprise — comme s'il avait attendu ce moment —, il entre dans la cabine de pilotage, avec les deux femmes, qui se positionnent debout derrière lui, encore toutes chaudes et magnétiques. Ses doigts pianotent sur le tableau de bord aux nombreuses commandes et saisissent le manche. L'avion prend de la vitesse sur la piste de décollage, qui défile de plus en plus vite sous ses yeux, et entreprend son ascension. C'est une sensation extatique, qui, tel un courant électrique, le traverse tout entier, jusqu'à la pointe de ses cheveux, qui se hérissent. Les caresses des femmes l'enivrent encore plus, et il exulte quand leurs doigts fins chatouillent son gland, collé à son vit turgescent à la façon d'une boule de crème glacée sur un long cornet qu'on avale en léchant et en croquant. Mais, dans ce débordement de sensations, son esprit s'emporte ; l'inventeur sent la friction de l'air contre sa carlingue. C'est lui (et non la machine) qui, tel un surhomme, vole et qui s'écrasera (à moins qu'il ne vienne s'y poser en délicatesse ?) contre le logo rouge de Radio-Canada, qui apparaît, hors des nuages, au sommet de la gigantesque Tour phallique.

•

Il n'y a aucune chance pour que leur patron ou l'un de ses sbires ne les croisent dans ce café minable. Ceux-là, ils fréquentent des endroits autrement plus bourgeois, où l'on mange de la fine cuisine et où coule le bon vin. Ces beignets faits de sucre synthétique sont une nourriture pour la plèbe, et ce liquide brun dans leur tasse est imbuvable, à moins d'altérer son goût, comme ce type qui y ajoute discrètement une bonne rasade de rhum. Caroline Hébert avait fixé leur rendez-vous dans cet endroit lors de son court message téléphonique. Mais, de toute évidence, elle n'apprécie pas plus que l'inventeur le vulgaire estaminet, car elle n'a pas touché à son café, qu'elle laisse refroidir devant elle. Il avait siroté quelques gorgées du sien en l'attendant ; tentant ainsi vainement de se fondre dans le décor, mais c'est maintenant inutile, la femme devant lui détonne trop ici par son élégance sur laquelle la misère ambiante n'a pas de prise. En fait, on ne se soucie plus de la présence de l'inventeur depuis qu'elle est entrée comme une déesse qui enchante la laideur. Tous les regards des clients ne sont désormais que pour elle, un ange inaccessible tombé miraculeusement des cieux dans leur réalité médiocre. Ces êtres perdus n'oseraient même pas la toucher de crainte de commettre un sacrilège. L'inventeur, qui ne l'avait pas revue depuis son retour d'Europe et leur premier baiser, eut, lui aussi, lorsqu'elle entra, un choc, tant il la trouva encore plus ravissante que dans son souvenir. Pourtant, fidèle à sa sobriété, elle ne porte rien d'extravagant, tel que la mode l'exige en ces temps aux goûts barbares, son corps et son aura suffisent néanmoins à provoquer des décharges électriques autour d'elle. De longues bottes de cuir noir montent sur ses jambes vêtues d'un jean, et un manteau de suède, qui la protège de la fraîcheur de l'automne, dissimulait, avant qu'elle ne le retire au moment de s'asseoir, son chandail rose moulant, agrémenté d'un cœur dessiné à la hauteur de sa poitrine saillante. C'est la première fois qu'il voit ses longs cheveux détachés, qui tombent naturellement, tels des serpents racoleurs, sur ses épaules. Pour seule coquetterie, elle porte du gloss brillant sur ses lèvres charnues, et ses ongles manucurés sont vernis de la couleur de son chandail.

Elle lui avait souri amicalement dès qu'elle l'avait aperçu à sa table en train de se tourner les pouces, et la joie sincère qu'elle manifesta l'avait aussitôt rassuré. Deux choses tracassaient l'inventeur au sujet de la jeune femme, dont la moindre était la question de leur rapprochement physique, causé surtout par l'alcool ; il avait de plus en plus la certitude qu'elle ne lui en parlerait pas, et que, pour elle — si jamais elle en gardait le moindre souvenir —, il s'était agi d'un simple jeu sans conséquences, étant donné sa beauté qui devait provoquer bien souvent une attirance érotique chez l'autre. Sa vie, sur le plan sexuel, était sans aucun doute plus tumultueuse que la sienne, en vérité très austère. Ce qui le préoccupait avant tout, c'était son congédiement. Savait-elle qu'il en était la cause ? En tout cas, tôt ou tard, elle finirait par l'apprendre. Aussi, il se demandait comment elle réagirait quand il lui avouera que, lui, il travaille toujours pour la station. Elle commencerait à se méfier de l'inventeur, si elle ne le faisait pas déjà. Il eut été profitable qu'il ignore ce rendez-vous. Il savait qu'il se mettrait en danger. Victor Théberge, qui avait été très heureux de recevoir ses scripts automatisés, lui avait formellement interdit de revoir Caroline Hébert ou les autres scripteurs du quiz. Depuis l'incident des androïdes, tout le monde était sur les dents dans la Tour. Le contexte devenait carrément paranoïaque. Incidemment, le travail de l'inventeur arrivait à point. Il permettait à Victor Théberge de se débarrasser d'une équipe de scripteurs que l'on soupçonnait d'avoir fomenté le soulèvement des robots en détraquant leur mécanisme. Les dirigeants de la Tour souhaitaient d'ailleurs que l'inventeur accélère son rendement ; on lui donnerait d'importantes primes pour chaque émission dont il créerait la matrice permettant de produire automatiquement les scripts. Mais Victor Théberge l'avisa péremptoirement que, désormais, il serait sous haute surveillance, parce qu'il se retrouvait au centre de plusieurs intérêts qui dépassent de loin les conditions de sa personne. Des gens malveillants pourraient aussi vouloir l'écarter, s'ils apprenaient son véritable rôle. Les moyens qu'on déployait à son endroit servaient autant à le protéger qu'à assurer le secret des politiques de la station d'État.

Malgré tous ces avertissements, l'inventeur est là, ce soir, attablé avec Caroline Hébert, à jouer avec le feu, motivé par une passion naissante qui le pousse à désobéir à son patron, dont le comportement autoritaire lui rappelle de plus en plus Bill Guterbenger, ce qui n'augure rien de bon. Il a désormais l'impression qu'une double présence surmoïque le surveille constamment, prête à punir ses moindres faux pas.

•

Sous le regard fasciné des clients, la femme dépose tendrement ses lèvres sur ses joues pour le saluer, et essuie, avec l'air d'une gamine qui imite gauchement le monde pervers des adultes, le gloss qui a laissé des traces sur son visage mal rasé. Un frémissement traverse tout son corps au contact de cette chair désirable. Bouillonnant à l'intérieur, il se rassoit devant son café tiède, elle devant sa tasse fumante. Volubile, la femme, qui enlève son manteau et le dépose sur le dossier de sa chaise, le rend vite à l'aise par sa candeur (mais l'esprit de l'inventeur n'est pas suffisamment aux aguets pour se demander si c'est une feinte dont l'hypocrisie féminine sait jouer avec une terrible adresse).

« Il s'en est passé des choses à la Tour pendant ton absence. À peine avions-nous bouclé la saison de *Que le meilleur gagne !* que toute l'équipe des scripteurs a été convoquée par Théberge. Aucun contrat n'a été renouvelé. Aussi bien dire que ce sont des mises à pied. Moi, je ne m'en fais pas trop, bien que la nouvelle inattendue m'a surprise ; on finira par me rappeler. On l'a toujours fait, même si c'est pour m'offrir un emploi subalterne où je dois minauder et rouler des hanches. D'ici là, je pourrai me concentrer sur mes études. L'université vient de reprendre. Et j'ai des économies. Mais certains de mes collègues ont besoin d'un emploi pour survivre. Personne au service du personnel ne les rappelle. Pourtant, leur professionnalisme a toujours été apprécié. Pourquoi, du jour au lendemain, veut-on se débarrasser d'eux ? C'est un mystère. On soupçonne que le gouvernement a diminué ses subsides et que nos patrons veulent faire des économies, qu'ils réorientent leurs politiques. En plus, cela survient au moment où des événements bizarres ont paralysé la Tour. Tu es certainement au courant de ce qui s'est passé dernièrement. Je ne sais pas s'il y a une coïncidence avec nos licenciements. Toujours est-il que, ce jour-là, je m'attendais à te voir sur le parvis. Nous n'avons même pas réussi à rentrer dans nos bureaux, seulement quelques équipes, triées sur le volet, ont pu le faire à partir du milieu de l'après-midi. Certaines personnes m'ont dit que la tension était insoutenable à l'intérieur. Il y avait des gardiens partout, très nerveux, comme toujours prêts à dégainer. Y a-t-il eu du vandalisme ? Moi, c'est ce que je pense. Un employé aurait pété les plombs, saboté les ordinateurs et détruit des archives ou enrayé des cassettes. Les dommages sont certainement majeurs pour qu'on décide de reporter la diffusion de la programmation d'automne. C'est du jamais vu. Toutes sortes de rumeurs se sont mises à circuler. Imagine-toi que j'ai lu, dans une brochure anarchisante, que la station serait infiltrée par des terroristes indépendantistes. Le FLQ ne serait pas mort. Que de balivernes… Mais, toi, comment tires-tu ton épingle du jeu ? As-tu rencontré Théberge ?

— J'ai été plus chanceux que vous tous. Tu sais que mon passage au quiz était temporaire. Il s'inscrivait dans le cadre de ma formation. On va me réaffecter ailleurs, mais je ne sais pas trop où pour le moment.

— Nonobstant tes qualités, on doit surtout te garder parce que tu es un écrivain. La Tour raffole que le prestige de l'un de ses employés rayonne sur elle.

— Vu de l'extérieur, il est vrai que j'ai une certaine bibliographie et des contacts dans le milieu de l'édition. Cela peut impressionner quelqu'un qui a une conception idyllique du métier. Mais, en réalité, j'œuvre en marge, et mon lectorat est fort discret. Radio-Canada n'aurait pas intérêt à me garder pour la seule raison que j'ai publié des livres. Elle se met vraiment un doigt dans l'œil si c'est le cas. Cependant, ce n'est certainement pas moi qui vais la détromper. Je serai satisfait tant que je recevrai des chèques de paie… Le jour où l'on se rendra compte qu'on se trompait à mon sujet, je ferai autre chose. Tu sais qu'auprès de nombreux écrivains québécois, je suis même un indésirable.

— Pourquoi serait-ce le cas ?

— J'avance des idées avant-gardistes qui leur déplaisent. Par exemple, à Cerisy, d'où je rentre à peine d'un colloque, ma vision a été très mal reçue. Les auteurs seront bientôt détrônés par les ordinateurs, beaucoup plus inventifs et efficaces qu'eux. La résistance à la seule perspective de ce changement a été très forte de la part de mes compatriotes. J'ai eu l'impression d'être un profanateur. Pourtant n'est-ce pas une évidence qu'avec l'invention de l'imprimerie à la Renaissance, on s'est mis à écrire et à penser différemment ? Nous vivons actuellement une deuxième Renaissance, alors que nous sommes entrés dans l'ère de l'électricité. La littérature va forcément connaître d'importantes mutations.

— Pour le mieux ou pour le pire ?

— Ça, seul Dieu le sait. Personne ici-bas n'est assez devin pour se prononcer sur l'état des temps futurs. »

Caroline Hébert, qui, à la surprise de l'inventeur, se plaît dans ce type d'hypothèses théoriques, s'anime. Elle lui apprend qu'elle vient de terminer la lecture de *La manufacture de machines*. Quelle œuvre étrange et prophétique ! Elle ne sait trop encore comment l'expliquer, mais, dans cet univers presque sans humains, grouille une énergie sexuelle, projetée sur les machines et la prosodie du texte, tapé d'un seul élan sur une Remington. À ce sujet, elle a remarqué un thème récurrent entre les nouvelles. Toutes les machines sont mues par un double mouvement de chute et d'ascension ; tantôt, la pesanteur de leur corps les attire vers le bas, tantôt, dans un élan de libération ou d'extase, elles s'envolent, comme si leur « esprit » se dématérialisait dans le ciel éthéré. Mais cette tension écartelante entre la matière et la non-matière, entre la vie et la mort, est proprement humaine. Qu'on la retrouve ainsi reproduite dans la structure des machines ne montre-t-il pas qu'un univers totalement désincarné est impensable ? Aussi, ne pourrait-on pas appliquer ce principe à toutes les inventions technologiques ? Par exemple, en considérant que les ordinateurs sont le prolongement de notre système nerveux central, y projetons-nous aussi, à travers les connexions qui nous relient à eux, l'expression de nos désirs ? Ou, de façon moins optimiste, un nouveau langage binaire nous aliénerait-il désormais, faisant de nous des êtres électriques, comme le livre a fait de nous, pendant des siècles, des êtres typographiques ?

Intermède : le cerveau de McLuhan

Grand amphithéâtre. Fin d'un cours. Les étudiants sortent bruyamment, à l'exception d'une nymphette qui s'approche de la tribune. Le professeur ramasse ses affaires sur le bureau. Il met ses papiers dans des chemises qu'il range dans sa serviette. La pile de dissertations à corriger s'engouffre dans un grand sac de toile. Avec une brosse, il efface les hiéroglyphes dessinés à la craie au tableau puis, finalement, rabat le couvercle de son ordinateur portable, qu'il glisse dans un sac rembourré en bandoulière. Il aperçoit l'étudiante à ce moment, qui attend sagement pour lui parler, avec un sourire angélique, les bras croisés sur un cartable posé contre sa poitrine.

LE PROFESSEUR
Est-ce au sujet du travail que vous deviez me remettre, mademoiselle ?

L'ÉTUDIANTE
Non, monsieur le professeur. J'ai été l'une des premières à le déposer sur votre bureau avant le début de la séance. Vous serez heureux d'apprendre que j'ai choisi le sujet le plus difficile : la langue de Rabelais et la découverte de l'imprimerie. J'y développe quelques idées audacieuses qui vous surprendront. J'en suis convaincue.

LE PROFESSEUR
Un tel discours m'enchante. Le dévouement dans ses études est une chose rare de nos jours. Certes, je vous lirai très attentivement.

L'ÉTUDIANTE
Je me permets de vous déranger à la fin du cours afin d'obtenir un éclaircissement au sujet du concept de noosphère… heu… de chose untel dans son jardin.

LE PROFESSEUR
T-e-i-l-h-a-r-d de C-h-a-r-d-i-n. Je vous accorde que c'est un nom peu commode. Je vais l'écrire au tableau la semaine prochaine, sinon je vais récolter des perles orthographiques dans les travaux finaux.

L'ÉTUDIANTE
Ne vous donnez pas ce mal, monsieur. Mes camarades ont dû chercher sur-le-champ dans Google la bonne façon de l'écrire. Moi, je me promettais de le faire à la maison parce que je sais que vous n'aimez pas qu'on pitonne sur nos bidules pendant vos explications.

LE PROFESSEUR
Vu d'ici, j'ai l'impression que personne ne m'écoute et que les écrans, telles des échappatoires, ouvrent des fenêtres sur un monde meilleur où l'ennui n'existe pas. Mais tant mieux si ce que vous me dites est le reflet de la réalité et qu'on se sert de ces outils en tant que compléments à mon cours. Cela me ravit.

L'ÉTUDIANTE
Il y a bien quelques âmes chagrines qui les utilisent pour se distraire. Mais ce sont elles les pires. Elles manquent la substance de votre discours.

LE PROFESSEUR
Mademoiselle, je ne voudrais pas vous désabuser complètement, mais ces potaches-là que vous me décrivez pourraient,
grâce à leur débrouillardise à pêcher des informations sur la
Toile, s'en tirer avec une meilleure note que vous à la fin de
la session. Je vous garantis même que plusieurs de nos doc-
torants sont des tricheurs invétérés qui contournent, avec
une aisance redoutable, les règlements de notre vénérable
université sur la propriété intellectuelle. Il devient de moins
en moins possible d'enseigner comme autrefois. À cause de
cela, plusieurs de mes collègues sombrent dans la dépression.
Je les comprends. Notre monde tombe en ruines et ce sont
les pires éléments dans nos classes qui en profitent.

L'ÉTUDIANTE
Vous savez que certains jeunes résistent aussi à ces changements.

LE PROFESSEUR
Je pense que c'est inutile. Laissez les vieux mourir. Bientôt,
ces nouveaux phénomènes médiatiques vous engloberont de
toute façon, quoi que vous fassiez ou ne fassiez pas. C'est
d'ailleurs le sens du concept de noosphère dont vous souhaitez que je vous entretienne.

L'ÉTUDIANTE
Je ne pense pas comprendre l'allusion.

LE PROFESSEUR
Suivez-moi, je vous prie. Je vous expliquerai ça tout en marchant. Je dois me rendre à mon bureau.

> *Les deux personnages quittent l'amphithéâtre. Ils*
> *marchent dans des couloirs bondés d'étudiants en*
> *pause. Le brouhaha est assourdissant et leur avancée,*

pénible. Une fois dans la cage d'escalier, le silence per-
met au professeur de reprendre la parole, mais il a sou-
vent le souffle coupé parce qu'il doit en même temps
gravir les marches et supporter la charge de ses sacs.

LE PROFESSEUR
Avant tout, avez-vous bien noté l'étymologie du concept?

L'ÉTUDIANTE
Oui, le préfixe «noos» dérive du grec «*noûs*» qui signifie
«esprit». «Noosphère» renvoie à l'espace conçu comme un
cerveau.

LE PROFESSEUR
C'est en effet une extrapolation possible du concept. Son
inventeur, Teilhard de Chardin, est un théologien, formé chez
les jésuites, paléontologue et philosophe. Sa pensée scientifique subit l'influence de ses croyances religieuses et est im-
prégnée de mysticisme. Ultimement, ses découvertes devaient
mener à Dieu, mais l'Église lui reprochait quand même de
verser dans le panthéisme. Comme quoi il est difficile de
concilier le discours de la science avec celui du pape, qui
détient la vérité infuse… *(Sourire de l'étudiante qui apprécie la*
saillie ironique.) Le concept créé par Teilhard de Chardin s'inscrit dans sa réflexion sur l'évolution. En tant que paléontologue, le jésuite avait beaucoup étudié les peuples primitifs et
avait même participé à des fouilles archéologiques. C'est pourquoi il ne rejetait pas les théories de Darwin, au contraire des
créationnistes et des fanatiques qui, de nos jours, pullulent
incroyablement chez nos voisins du Sud. L'aventure intellectuelle du théologien a donc consisté à inventer un autre récit
de la Création. À partir des acquis de la science, il a tenté
d'imaginer comment le cosmos et la vie sont nés tout en y
dévoilant l'empreinte de Dieu. C'est une tâche pour le moins
ardue pour un homme. Et qui nécessitait un sophisme.

Teilhard de Chardin en a accouché d'un qui est assez surprenant, et qui est fort utile puisqu'il résout tous les mystères sur l'origine. Les fondements de sa philosophie reposent sur l'idée d'une spiritualisation progressive de la matière. Incroyable, non? Suivons sa logique. Qu'arrivera-t-il une fois que l'évolution aura abouti, mademoiselle? *(Le professeur en profite pour reprendre son souffle.)*

L'ÉTUDIANTE
Euh... il y aura une espèce de communion parfaite entre la chair et l'esprit. C'est-à-dire une fusion.

LE PROFESSEUR
Et cela vous rappelle quoi?

L'ÉTUDIANTE
Le Paradis perdu, monsieur. C'est évident. Avec les catholiques, vous nous l'avez dit cent fois plutôt qu'une, nous en revenons toujours aux mêmes sempiternels paradigmes. Aux mêmes fantasmes de pureté virginale.

LE PROFESSEUR
La nouveauté avec Teilhard de Chardin, c'est que le processus téléologique est inversé. Le point de départ devient le point d'arrivée. Si sa pensée se réduisait à ce seul constat, ce serait assez décevant. Heureusement, une fois que nous la débarrassons de ces scories de jésuite, elle a encore des résonances pour nous et elle nous aide à mieux comprendre la réalité de notre univers en pleine mutation. C'est pour cette raison que ses concepts intéressent encore plusieurs théoriciens de la communication.

Sur ce, le professeur, après avoir entraîné la nymphette dans les couloirs aux maints détours de son département, arrive devant la porte de son bureau,

*qu'il déverrouille et ouvre. Avec une certaine galan-
terie, il invite la demoiselle à s'asseoir tandis qu'il en
profite pour se délester enfin de ses sacs qui écrasaient
douloureusement ses mains et ses épaules.*

LE PROFESSEUR

J'en arrive donc à la noosphère — ou noogenèse (on retrouve aussi le concept ainsi formulé dans l'œuvre du théologien). Du primate qu'il était, l'homme a évolué grâce à son
intelligence et à la mutation de son cerveau. Des connexions
neurologiques se sont créées au fur et à mesure qu'il a changé
ses comportements. Le passage du quadrumane à la station
debout a été l'étape fondamentale dans cette transformation.
L'usage du sens de l'odorat, très stimulé autrefois — lorsque
les quatre membres du primate touchaient le sol —, alors
qu'il devait renifler le monde sauvage pour entrer en relation avec lui, a été détrôné par celui de la vue. On appré-
hendait désormais le monde par les yeux. Dans l'évolution
biologique de l'homme, le sens de la vue a donc été détermi-
nant. Faisons maintenant un bond dans l'Histoire. La surex-
ploitation du sens visuel a connu son apogée au XVIᵉ siècle
avec l'invention de l'imprimerie. Avec le livre, le texte, plus
encore que dans les manuscrits médiévaux, est un phénomène isolé pour l'œil. En effet, la lecture devient désormais
un exercice individuel et silencieux ; l'homme y prend conscience de la singularité de son existence. Depuis la Renaissance et le début de la modernité, le livre enferme la parole
qui est enclose dans l'alphabet phonétique et qui peut être
reproduite mécaniquement. C'est l'outil par excellence de
l'évolution spiritualiste de la matière décrite par Teilhard de
Chardin. Le Verbe que Dieu a donné à l'homme se coule
dans la matière concrète des signes typographiques. Ce sur-
vol historique me permet de vous démontrer que l'usage de
nos sens joue un rôle dans notre développement tant biologique que social. Aujourd'hui, les neurosciences confirment

d'ailleurs ces intuitions. Les mécanismes internes du cerveau humain sont influencés et formés par les stimulations du monde sensitif. Teilhard de Chardin n'avait pas recours à ces connaissances développées à son époque. Sa perspicacité a néanmoins visé juste, tout en étant adaptée peu ou prou aux réalités technologiques du monde moderne. Le concept de noosphère désigne la correspondance entre l'évolution du cerveau et la matérialité des médias qui prolongent les sens des hommes. Les deux sont interdépendants. Pour les civilisations modernes, il va de soi que le média d'importance a été le livre ; à preuve, la première chose que les colonisateurs apprennent aux peuples primitifs pour les détribaliser est la lecture. Il les sort ainsi du monde magique et envoûtant de la parole chamanique pour en faire des individus indépendants et rationnels. Une fois achevée, cette transformation est définitive parce qu'elle n'est pas seulement culturelle mais aussi biologique.

L'ÉTUDIANTE
Mais c'est pour le mieux, non ?

LE PROFESSEUR
Teilhard de Chardin a une vision ethnocentriste et optimiste de l'évolution, comme plusieurs de ses contemporains. Il ne faut pas non plus perdre de vue le mysticisme au cœur de ses réflexions. La définition du concept de noosphère a aussi une acception généralisante, celle d'un cerveau technologique de l'Univers.

L'ÉTUDIANTE
Autrement dit : Dieu.

LE PROFESSEUR
Ou le Saint-Esprit. Ce qui, nous en conviendrons aisément, revient au même. Je suppose que, dans ses visions, Teilhard

de Chardin imaginait que le monde connaîtrait la fin du progrès lorsqu'il ressemblerait à une immense bibliothèque d'Alexandrie. Les hommes, tels des moines, vivraient en réclusion, le nez dans les livres, en communion avec l'esprit de leur Créateur.

L'ÉTUDIANTE
Mais ce n'est pas ce qui s'est produit. Il n'y a pas eu… *(elle regarde dans ses notes de cours déposées sur ses genoux)* d'eschatologie.

LE PROFESSEUR
Non, un âge en a tout simplement remplacé un autre.

L'ÉTUDIANTE *(qui regarde toujours ses notes)*
La mécanique, qui prolonge le corps dans l'espace, est remplacée par l'électricité, qui abolit le temps et l'espace et qui reproduit la conscience.

LE PROFESSEUR
Et c'est ici qu'entre en jeu Marshall McLuhan. Lequel, dois-je admettre, alimente grandement mes réflexions. C'est un penseur que j'idolâtre, rien de moins, et qui a donné à notre université beaucoup de prestige. Laissez-moi vous montrer quelque chose puisque vous me semblez apprécier les théories que j'expose dans ma classe.

> *Le professeur se lève et passe à côté de son étudiante pour ouvrir les portes d'une armoire collée contre le mur au fond de la pièce exiguë à cause des bibliothèques et des boîtes empilées partout. Sur une des tablettes repose, dans un bocal, un cerveau dans du formol.*

LE PROFESSEUR
Pour McLuhan, le monde est devenu un ordinateur, un cerveau électronique. Vous en avez ici l'image réduite.

L'ÉTUDIANTE *(qui s'approche de l'armoire)*
Est-ce un vrai ?

LE PROFESSEUR
Oui, mademoiselle.

L'ÉTUDIANTE
À qui appartenait-il ?

LE PROFESSEUR
À qui croyez-vous ?

L'ÉTUDIANTE
Non ?

LE PROFESSEUR
Si, c'est bien ce que vous pensez.

L'ÉTUDIANTE
Mais comment avez-vous fait ?

LE PROFESSEUR
Ah ! mais j'ai mes petits secrets. Vous êtes d'ailleurs la première personne à qui je montre mon trésor. Il va de soi que je compte sur votre entière discrétion.

> *Le professeur recule et s'assied sur le coin de son bureau, cédant toute la place à la nymphette pour qu'elle admire la sainte relique qui baigne dans son bocal. D'où il est, il peut goûter, à travers le regard de la femme penchée pour voir de près « la chose », la*

perspective d'un jeune corps vêtu d'une jupe très courte qui dévoile l'origine féminine — que cache à peine une petite culotte d'un rose suggestif — glissant vers le cerveau masculin qui reproduit l'image du monde.

LE PROFESSEUR

Je vais maintenant vous faire une démonstration. Mes explications vous apparaîtront d'une clarté absolue ensuite. Gardez bien les yeux rivés sur le cerveau. Vous le verrez s'électrifier surnaturellement. Moi, tel un primate, je m'approcherai de vous, humant, comme au temps de la préhistoire, vos organes génitaux, puis me redresserai, afin de copuler avec vous, bestialement d'abord, puis de moins en moins bestialement, jusqu'à ce que j'éjacule. Oui, voilà, ça y est. À ce moment, McLuhan se réanime, et vous entrez, sur le coup de votre jouissance ou de votre extase mystique, en connexion avec le cerveau électronique de l'Univers. Merde, on dirait que ça ne fonctionne pas. Je suppose que les piles doivent être mortes. Je vais m'occuper de cela sans tarder. Revenez demain, je vous prie. Nous reprendrons la leçon. Je profiterai de l'occasion pour vous donner mes commentaires sur votre travail.

La nymphette sort du bureau pendant que le professeur remonte son pantalon.

4

Assis sur la même banquette que le reporteur qui regarde rêveusement défiler le paysage urbain par la fenêtre de la fourgonnette, l'inventeur se méfie. Victor Théberge l'a mis en garde. Tous les robots n'ont pas été retrouvés depuis le soulèvement ; certaines répliques ont dû être reconstruites en vitesse. Et comme le travail a été bâclé, les techniciens n'ont pu garantir que les machines fonctionneraient parfaitement. Ce ne sont que des prototypes de dépannage, dont on améliorera la tenue générale quand la situation se sera apaisée au laboratoire, qui, pour le moment, fournit difficilement à la demande. C'est le cas d'André Toutant, journaliste culturel, qui n'a pas été retrouvé lors des incidents qui ont paralysé la Tour. On présume qu'il se serait jeté, comme beaucoup d'autres, dans le four crématoire. Un robot a été recréé dans l'urgence. C'est une version élémentaire, constate l'inventeur, car la machine à côté de lui ne participe pas à la conversation, sinon par des « oui » ou des « non » furtifs lorsqu'on s'adresse directement à elle. Aussitôt après, elle s'enferme dans le silence puis elle redevient végétative afin d'économiser l'énergie de sa pile. Son corps est alors inanimé, et ses paupières se figent, ouvertes sur des yeux qui fixent le néant avec obstination.

Il s'agit de la première journée de travail de l'inventeur avec cette équipe du *Téléjournal*. Le caméraman et le technicien qui accompagnent Toutant dans ses sorties ne lui ont pas trop posé de question au bureau ce matin, bien qu'ils n'aient pas compris quel était son rôle. Lui-même ne sait trop comment le définir. Victor Théberge devait le rencontrer à l'aurore pour parfaire sa couverture, mais il n'a pas honoré son rendez-vous. Sa secrétaire était visiblement inquiète, elle qui n'avait jamais vu son patron manquer une journée de travail. C'est donc hésitant que l'inventeur s'est présenté à ses nouveaux collègues en tant qu'observateur — voilà ce qu'il avait trouvé de mieux à dire —; il leur avait raconté que leurs supérieurs l'avaient embauché pour qu'il analyse la performance de leurs appareils technologiques. Il se promènerait ainsi, au fil du temps, d'une équipe à l'autre, d'un secteur à l'autre, rien de la Tour ne devait échapper à son analyse. Il ferait des recommandations, notamment pour le renouvellement du parc informatique; son avis aidera la société d'État à décider où elle achètera son matériel, chez IBM ou chez un concurrent.

Ces explications avaient satisfait les deux hommes. Puisque l'ordre émanait d'en haut, ils n'avaient pas le choix de traîner ce boulet avec eux de toute façon. Il valait mieux qu'ils s'y fassent dès maintenant et qu'ils tentent de rendre l'inventeur utile dans leurs pérégrinations. Quant au robot, son indifférence était manifeste. Toutefois, le caméraman et le technicien ignoraient si l'inventeur savait qu'André Toutant était un androïde, même s'ils se doutaient que Théberge l'avait mis au parfum. Par moments, cela donnait une tournure bizarre aux conversations.

« Ne vous occupez pas trop de lui. André ne va pas très bien ces temps-ci. Il a souvent cet air perdu.

— J'avais remarqué. Mais *(l'inventeur chuchote, avançant son corps au-devant du véhicule, assis sur le bout de sa banquette)* vous me dites ça alors qu'il est à côté de moi et qu'il peut entendre. N'est-ce pas inconvenant ? Ne se fâchera-t-il pas ?

— Ne vous en faites pas. Au nombre de barbituriques qu'il avale pour soigner sa dépression, il a le cerveau complètement éteint. Un vrai légume.

— Si ça se trouve, il s'endormira bientôt.

— Quand on sera prêt pour le reportage, surveillez-le bien. Il va s'animer tout d'un coup, plein d'énergie. Ce type est un vrai professionnel. »

Jouant l'idiot, l'inventeur tapote l'épaule du journaliste, qui ne sourcille pas. « Que vous avais-je dit, surenchérit le technicien, il est complètement déconnecté. Il se fout complètement de nous. » Sous le tissu de la veste, il a senti la consistance caoutchouteuse de la peau, la même que celle de sa propre réplique étêtée. De plus, la sensation lui rappelle le corps de René Lévesque, tombé dans ses bras dans les bas-fonds de la Tour, leur accolade presque amoureuse.

La fourgonnette n'a pas roulé longtemps avant d'arriver au Stade olympique, situé, comme la Tour, dans l'est de l'île. Ce soir, la grande vedette Michael Jackson donne un spectacle dans le cadre de sa tournée géante *Victory Tour*, accompagné des Jackson Five. La star souhaite relancer la carrière en déclin de sa famille alors que la sienne connaît une ascension fulgurante depuis la sortie de son album *Thriller* deux ans plus tôt. Tout autour du Stade, il y a déjà des amateurs, déguisés à la manière de leur idole : veste rouge et gant blanc brodés de faux diamants, pantalon court serré, souliers de cuir noir à talons plats, verres fumés et une couette de cheveux brûlée sur la tempe droite. D'autres ont plutôt choisi de jouer les zombis afin d'imiter les morts-vivants du fameux vidéoclip qui jaillissent hors des cimetières et qui dansent avec le chanteur qui se décompose affreusement.

Leur statut de journalistes leur a permis de franchir les guérites de contrôle et d'entrer dans le grand parking souterrain du Stade. Ils stationnent la fourgonnette non loin des camions du *Victory Tour*, surveillés par des gardiens qui promènent ostensiblement la matraque suspendue à leur ceinture.

« Ils sont certainement en train de monter la scène. Les installations sont gigantesques, à l'image de la richesse démesurée des Américains. Il semblerait que le meilleur moment du spectacle survient quand le chanteur se fait avaler par des araignées lumineuses. Dans une entrevue, j'ai appris que le projectionniste n'aurait qu'à appuyer sur un bouton de son ordinateur pour que les bêtes apparaissent. Le chanteur se mettrait à danser comme une mouche prisonnière d'une toile gluante, paniquée par l'arrivée des prédateurs. Mais cela m'étonnerait que nous puissions en tirer des images ; les Jackson n'autorisent pas qu'on filme l'intégralité de leur show, encore moins les parties les plus spectaculaires. Je m'en vais de ce pas rencontrer le producteur pour obtenir nos accréditations. Il me donnera ses consignes. Pendant ce temps, allez dehors avec Toutant interviewer les fans qui attendent dans le Parc olympique. Je vous y rejoindrai. »

Alors que le technicien s'engouffre dans les ténèbres du souterrain, les trois autres se regroupent derrière la four-gonnette. Le caméraman boucle un sac de piles autour de sa taille, ajuste son appareil vidéo sur son épaule et le tient en équilibre par la colonne télescopique qui sert à le fixer au sol. Il profite de la présence de l'inventeur pour lui faire por-ter le sac de Toutant, qui contient un micro, un fil et un car-table. Les trois hommes s'aventurent à leur tour dans les dédales de béton, à la recherche de la sortie ; le robot marche en retrait, gardant ses distances. Le modèle original n'était pas aussi asocial que sa grossière réplique et se fondait mieux avec les vivants. Victor Théberge avait aussi prévenu l'inven-teur au sujet de cette défaillance.

« Cela me fait bizarre de revenir ici, moins de dix jours après la visite du pape.

— Ma foi, j'allais oublier ça. C'est votre équipe qui avait couvert le spectacle offert à la jeunesse catholique et à Jean-Paul II avec, comme point culminant, Céline Dion chantant *Une colombe.*

— Et maintenant, c'est au tour de la pop décadente…

— Ouais, mais si tu veux mon avis, le plus surréaliste des événements a déjà eu lieu. Je ne croyais pas qu'il y avait encore une telle ferveur religieuse dans notre patrie. Quel délire mystique inspirait les jeunes ! Ça m'a effrayé. Et puis, combien de personnes y avait-il au parc Jarry pour la grande messe en plein air juste avant le show ?

— Au moins 300 000. C'était ahurissant. Il suffit que le Saint-Père débarque de Rome pour que toutes nos velléités nationales de modernisation s'effacent d'un coup. Nous resterons des attardés culturels encore bien longtemps.

— Mais à cet égard, notre peuple n'est pas exceptionnel. À part la France, nomme-moi un autre pays occidental qui n'est pas pollué par ses traditions religieuses.

— Tu as raison là-dessus. Ce ne sont certainement pas les pays hispaniques, lusitaniens ou anglo-saxons qui pourraient se vanter d'avoir progressé collectivement sur le plan de l'athéisme et de la raison scientifique. Eux aussi, ils sont gangrenés par leurs croyances métaphysiques. Mais au moins, ils ne s'en cachent pas. Ils l'assument. *In God We Trust.* Nous, nous sommes hypocrites. Nous rejetons l'Église depuis 1960, mais nous continuons d'aduler le pape quand il foule notre sol en l'embrassant. C'est un double jeu schizophrénique.

— Et vous, André Toutant, avez-vous une opinion à ce sujet ?

— Non *(machinal)*.

— Ne te fatigue pas inutilement. C'est la sacro-sainte neutralité du journaliste qui s'exprime ici *(rire de l'inventeur qui goûte la blague du caméraman)*. Moi, il y a une chose qui m'étonne dans la visite du pape au Canada. Son arrivée à l'aéroport de Mirabel coïncide avec les événements qui ont frappé la Tour.

— Qu'insinues-tu là ? Je ne te suis pas.

— Je ne sais pas trop. J'extrapole puisqu'on nous garde dans le secret. Moi, je soupçonne que le Vatican aurait donné des ordres au gouvernement pour que la couverture médiatique soit réduite au minimum.

— Ce serait énorme. Mais pourquoi donc ?

— C'est pas à moi qu'il faut le demander. As-tu écouté le discours d'accueil que Jeanne Sauvé, notre gouverneure générale, a prononcé sur le tarmac après que la garde d'honneur eut lancé vingt et une salves dans le ciel? C'était instructif. J'en ai même mémorisé des passages. Le pape et l'archevêque de Montréal l'écoutaient tout sourire engoncés dans leur toge. Selon elle, le "monde règne dans le désarroi"; seule "l'audace du prophète peut restaurer le primat de l'esprit". Elle a conclu, de façon tout aussi emphatique, en annonçant qu'il fallait "retrouver le sens surnaturel de l'existence". Voilà tout un programme! Y comprends-tu quelque chose, toi?

— Elle voulait se montrer réconfortante pour le pape.

— Je suis plus audacieux dans ma lecture. Le Vatican a des moyens. Il y a une collusion évidente avec notre gouvernement. Je suis persuadé que l'Église souhaite infiltrer les franges plus conservatrices du pouvoir. N'oublie pas que sous des apparences d'ouverture depuis Vatican II, Rome s'est montrée intraitable et condamne le divorce, l'avortement et la contraception. Elle ne tolérera pas longtemps les démocraties comme la nôtre qui bafouent la morale biblique. »

●

Dehors, sous un soleil de plomb, exceptionnellement cuisant pour la saison automnale, les amateurs de Jackson sont dispersés ici et là, certains attendent sur le parvis du Stade, devant les portes d'entrée, d'autres végètent dans le parc, sous l'ombre des arbres, dont le feuillage jaune moutarde et rouge cuivre annonce la fin d'un cycle. L'inventeur sursaute quand, sans prévenir, André Toutant saisit son micro dans le sac et relie le fil à une boîte électrique maintenue à la taille du caméraman. Séance tenante, l'androïde se dirige vers un groupe de jeunes groupies. Les deux autres n'ont plus qu'à le suivre et à le laisser exécuter son travail.

Qu'ils soient vêtus comme Jackson ou déguisés en mort-vivant, les admirateurs tiennent les mêmes propos insipides. Aveuglés par leur idolâtrie, ils répètent à quel point le chanteur est cool, comment il danse comme un dieu et combien ils ne se lassent pas de réécouter ses hits en boucle. Ils se foutent tous des frères de la vedette mais ne lui tiennent pas rigueur du fait que, dans le show qu'ils vont voir, Michael s'efface par grands bouts de la scène. Alors que la récolte d'images s'avère satisfaisante et que Toutant, qui a accompli son devoir, remet son micro à l'inventeur, un fan ventripotent avec le crâne assez dégarni s'avance vers eux. Il est ridicule dans les vêtements du chanteur pop qui ne sied pas à quelqu'un de son âge qui a, par-dessus le marché, des airs de bureaucrate. Toutant se fige, comme terrifié par l'arrivée de l'importun, qui s'immobilise devant lui. L'admirateur au comportement bizarre retire ses verres fumés, et l'évidence saute aux yeux du caméraman et de l'inventeur, qui en ont le souffle coupé. Le journaliste et l'admirateur sont de véritables sosies, pas un pli de graisse ni une ride ne distinguent leurs visages. Les deux copies spéculaires s'observent un instant, comme si elles se défiaient, et, sans crier gare, se sautent à la gorge. L'inventeur essaie de les séparer, mais il se fait repousser violemment contre le caméraman, empêtré dans ses appareils. Le reste des choses va très vite. Sous la brutalité des coups, des bouts de peau sont arrachés, montrant la structure métallique des squelettes. Le mécanisme déréglé des deux machines furieuses implose, une fumée noire, qui pue le métal surchauffé, s'échappe des corps disloqués, qui, infatigables, continuent de se réduire en bouillie.

Tout autour, les admirateurs entendent les bruits de la bagarre et s'approchent de plus en plus nombreux. Lorsque quelqu'un crie : « Ils sont en train de tuer Michael Jackson ! », l'instinct du caméraman et de l'inventeur leur commande de déguerpir. Ils courent vers le Stade en espérant atteindre leur fourgonnette dans le parking souterrain avant que le groupe zélé et vengeur ne les rattrape. Avec une facilité consternante, ils parviennent à repousser les quelques morts-vivants qui bloquent l'entrée du stade. Une fois à l'intérieur, l'inventeur fait remarquer au caméraman que l'un d'entre eux, qui prenait son rôle très à cœur, a tenté de le mordre. Il voulait sans doute le bouffer à la manière cannibalesque des revenants... Enfin, ils descendent les escaliers en détalant, puis se rendent jusqu'à leur fourgonnette. Ils y retrouvent avec soulagement le technicien, qui était venu chercher, avant de les rejoindre dehors, l'argent du dîner, oublié dans le coffre à gants. Le caméraman n'a pas le temps de lui expliquer où est le journaliste, car, soudainement, des hurlements emplissent le souterrain et des meutes de zombis surgissent par les issues. Les trois hommes se réfugient dans la fourgonnette. Les gardiens du *Victory Tour* n'ont pas le même réflexe, eux qui ne se méfient pas de la tournure surnaturelle des événements. Avec leur matraque, ils tentent d'intimider sans succès les admirateurs qui s'approchent trop près des camions. Insensibles aux coups qu'ils reçoivent, les zombis se ruent sur les gardiens, qui, sous leur nombre grandissant, s'écroulent. Au moment où le sang gicle sous les morsures et qu'un zombi éviscère un gardien, le caméraman démarre en trombe et quitte le souterrain en faisant crisser les pneus, n'hésitant pas à frapper les admirateurs qui se jettent sur la voiture. Les corps tombent telles de vulgaires quilles. Et les barrières des guérites de contrôle volent en éclats.

La fourgonnette roule à tombeau ouvert jusqu'à la Tour. C'est un miracle qu'il n'y ait pas eu d'accident ou que la police ne les ait pas interceptés. Les trois hommes retrouvent peu à peu leur calme une fois la voiture garée et réalisent, dans le silence de l'habitacle, qu'ils ont échappé de justesse à une situation très dangereuse. L'inventeur n'ose pas dire un mot et surveille la réaction de ses nouveaux collègues.

Même s'il a coupé le moteur, le caméraman tient encore nerveusement le volant dans ses mains. Il le serre si fort qu'il en a les jointures blanches.

« Où est André Toutant ? Ces choses, qu'ont-elles fait de lui ?

— Il est encore là-bas. Mais ce n'est pas ce que tu crois. Louis pourra te le confirmer. À la fin de ses interviews, Toutant est tombé sur un admirateur de Jackson qui lui ressemblait comme deux gouttes d'eau… ils étaient vraiment pareils si tu vois ce que je veux dire *(le caméraman et le technicien se regardent droit dans les yeux comme s'ils partageaient une information privilégiée)*… Je ne sais trop comment expliquer ça, mais il y a eu un bogue. Ils se sont mis à se battre sauvagement, comme si l'un en voulait à l'autre de lui avoir volé sa personnalité. À la fin, on distinguait mal à qui appartenait les bouts de métal encore animés.

— *(Court temps de réflexion.)* Comme il en a trop vu, je crois que nous lui devons des explications *(le technicien tourne la tête en direction de l'inventeur)*. Les patrons décideront ensuite ce qu'ils feront avec lui.

— Oui, je suis bien d'accord.

— Par la force des choses, tu as réalisé qu'André Toutant était un robot. Ce n'est pas un cas unique ; tous les journalistes de la boîte ont une réplique de ce genre. Des spécialistes conçoivent ces machines dans les sous-sols de la Tour ; c'est aussi là qu'on les entrepose dans le plus grand secret.

— L'autre robot apparu dans le Parc olympique provenait aussi de Radio-Canada. En vérité, il y a eu un soulèvement des machines le jour où la Tour a été paralysée. Il est arrivé ce qu'on craignait. On espérait qu'aucune d'entre elles ne se soit sauvée à l'extérieur ; nous avons maintenant la réponse. Et ça n'annonce rien de bon. Le robot que tu as côtoyé n'était qu'une vulgaire réplique, fabriquée en vitesse. J'ai l'impression que la version originale était attirée, à cause d'une quelconque vibration magnétique, vers son double. En fait, je me demande bien ce que le robot a fait de toutes ses journées de liberté dans la métropole…

— Existe-t-il un vrai André Toutant en chair et en os?

— Oui, bien sûr. Il faut bien que ce délire futuriste ait une origine.

— Mais l'homme est aujourd'hui méconnaissable. Sa santé physique et mentale a beaucoup périclité.

— Les robots ont justement été inventés pour pallier un problème qui a frappé d'abord les journalistes, fréquemment exposés aux champs électriques des plateaux de télévision et à la représentation virtuelle quasi quotidienne de leur corps. Puis les animateurs et les comédiens ont présenté aussi les mêmes symptômes, mais dans une plus faible mesure. Il s'est développé, au fil du temps, une maladie dans la Tour, comme une sorte de silicose des mineurs. Nous ne savons pas si TVA est aussi touché par ce mal; si oui, elle le dissimule bien en tout cas. Cela commence par une sorte d'abattement et une perte progressive des sensations. La nourriture devient fade, les objets s'embrouillent et un bourdonnement continuel irrite les sujets, qui négligent de plus en plus leur apparence et leur hygiène corporelle. Ils portent avec eux une grande fatigue, mais la caméra, au début de la maladie, les revivifie de façon surprenante, jusqu'à ce que le miracle s'étiole et que la réalité l'emporte finalement. Devant le nombre grandissant de cas, les patrons ont mis sur pied le projet "Doublure". La robotisation connaît depuis une grande expansion. On ne sait pas toujours si l'on croise un être humain dans les couloirs de la Tour…

— Les médecins sont impuissants à guérir la maladie dont le processus est malheureusement irréversible. Une fois qu'un robot entre en scène, on ne revoit plus jamais le journaliste ou l'animateur. Selon la version officielle, ils se reposent dans une maison de santé. Si tu veux mon avis, ils ont été largués dans un hôpital psychiatrique ou dans un quelconque no man's land.

— Autrement dit, on les a abandonnés sur l'île secrète d'Elvis Presley.

— La frontière entre notre univers concret et le monde virtuel de la télévision est beaucoup plus poreuse qu'on le pense.

— Il y a des avantages à cela. Je me suis gravement blessé à l'avant-bras droit il y a deux ans tandis que je filmais les images d'une émeute dans le centre-ville. Emporté par la foule dont je m'étais trop approché, je me suis retrouvé au sol, au moment où la brigade chargeait contre les civils. Un policier à cheval, qui, de mon point de vue, ressemblait à un centaure casqué, m'a piétiné le bras avec ses gros sabots. J'ai perdu connaissance. À mon réveil, j'étais dans les laboratoires des sous-sols radio-canadiens. Les techniciens avaient réparé mon avant-bras qu'ils avaient dû amputer. *(Le caméraman relève une manche de sa chemise.)* Ils l'ont remplacé par une excroissance synthétique. Regarde bien ce qui se trouve sous ce tissu caoutchouteux. *(Il prend un canif dans sa poche et entaille sa peau ; il coupe un morceau rectangulaire sans ressentir aucune douleur.)* Tu vois, il y a des os métalliques. Je suis une sorte de cyborg. Arnold Schwarzenegger peut aller se rhabiller. Ce bout de membre qu'on m'a greffé est doté d'une force incroyable. Je peux manipuler ma caméra à l'épaule sans jamais me fatiguer. Tu as aussi remarqué qu'il m'a été très facile de repousser les zombis qui nous bloquaient l'entrée du Stade. Ce machin serait capable de déplacer des montagnes.

— Pour l'instant, nous avons remarqué une certaine prudence de la part de nos patrons dans leur exploitation des trucages virtuels. Les effets sur le monde réel sont encore trop imprévisibles. Moi, avec André Toutant, j'ai eu l'expérience d'événements assez troublants, heureusement mineurs mais qui laissent présager d'inquiétantes possibilités. À deux ou trois reprises, nous n'avons pas pu tourner des images parce que des artistes ont annulé à la dernière minute une interview ou nous n'avons pu nous rendre sur les lieux d'une première ou d'un lancement. Ce sont des embêtements fréquents dans notre métier. Lorsqu'il n'a pas le choix, le producteur nous demande de tourner des images fictives. Il nous met alors en contact avec les techniciens des sous-sols. Avec leur aide, nous créons une entrevue factice. Le plus bizarre, c'est que les artistes concernés ne se sont jamais plaints. Par exemple, il m'est déjà arrivé de croiser Yvon Deschamps après que nous lui avions fait le coup. Il a fait semblant de rien. Je pense même qu'il était persuadé qu'il avait lui-même répondu aux questions d'André Toutant.

— Nous suggérons ainsi une réalité parallèle et c'est elle qui finit par s'imposer.

— Tu imagines le pouvoir que nous avons. S'il fallait que cet outil de propagande sophistiqué tombe entre des mains malfaisantes, ce serait l'horreur.

— Je te parie que notre producteur va nous demander de faire un reportage sur le show de Jackson en omettant de parler des événements dont nous avons été témoins. Pour monter notre topo, on va aller chercher des images tournées dans une autre ville, auxquelles on va ajouter celles de Toutant qui questionne les admirateurs dans le Parc olympique. Ce sera le simulacre d'une journée tout à fait normale. Ça deviendra comme une vérité dans le monde réel. Je ne serais même pas étonné que les gardiens du *Victory Tour*, qui ont été bouffés par les zombis sous nos yeux, ressuscitent miraculeusement. »

•

L'inventeur n'a pas osé poser la question à ses collègues, mais il se demande comment les revenants ont surgi dans le réel. Est-ce la vidéo de Jackson, qui, à force de jouer et de rejouer sur les ondes de MusiquePlus, s'est matérialisée dans le monde familier ? La contamination irait donc plus loin que ne le croient les bonzes de Radio-Canada. Il n'y aurait pas seulement le tangible capté par la caméra des journalistes qui subirait les transformations induites par son passage dans la virtualité. Les œuvres filmées obéiraient aussi à une sorte de pacte de vérité, même si leurs propositions sont distordues et invraisemblables. Elles deviendraient réelles, elles aussi. Cette vision qui frappe l'inventeur annonce une sombre déliquescence. Et lui, en acceptant de travailler pour Théberge, il contribuerait à abattre les derniers remparts d'un univers authentique.

Le foyer de cette nouvelle peste aurait-il frappé seulement le Québec ? La province servirait-elle de cobaye à des expériences plus vastes ? Imaginons que, grâce à un réseau d'ordinateurs domestiques, chaque individu puisse diffuser ses propres films et ses propres photos numérisées, la prolifération deviendrait exponentielle, tel un virus. Un usage généralisé des technologies informatiques polluerait pour de bon le mode de fonctionnement des pays alphabétisés.

Le danger d'un avenir semblable ne vient sans doute pas des grandes sociétés d'État ou des gouvernements, qui instrumentaliseraient ces outils à des fins politiques, mais des capitalistes anglo-saxons qui, grâce à la magie de l'électricité, parviendront à suggérer une vie totalement formatée par le langage binaire de leurs produits commercialisables.

•

Sur le toit de son immeuble, l'inventeur respire un air frais qui le revigore. Sous lui, la ville est camouflée par un épais nuage de smog. Il se sent comme un ange ou une âme qui vole au-dessus des vicissitudes terrestres.

Sa réplique, déposée sur une caisse de bois, a les yeux dans le vague, connectée au réseau électrique invisible qui vibre dans le ciel. L'inventeur s'est plié depuis quelques jours à une nouvelle routine. Le soir, au retour du boulot, il sort son double incomplet sur le toit, comme on le ferait pour répondre aux besoins de son animal domestique. La réplique entre à tous les coups dans une sorte de transe. L'attente pouvant s'avérer longue, l'inventeur apporte un livre la plupart du temps, mais pas cette fois. Il n'arriverait pas à trouver la concentration nécessaire pour comprendre le sens du langage imprimé tant il est préoccupé par les événements traumatisants de la journée et par les inquiétudes qui le rongent au sujet de son avenir comme employé de Radio-Canada. A-t-il mis les pieds dans un engrenage qui lui sera fatal? Ou, pire, qui sera aussi fatal aux autres? Ce sont des questions auxquelles il ne trouve pas de réponses. En fait, les dés lui semblent déjà pipés. Il en sait désormais trop pour qu'on le laisse quitter son emploi.

Mais que penserait sa réplique s'il tentait — il ne sait trop comment encore — d'arrêter cette grande machination? Elle serait assurément attristée, elle qui trouve son bonheur dans l'électrification du monde terrestre. Cette révolution qui s'amorce constitue après tout l'an zéro de sa naissance. Revenir en arrière signifierait l'annihilation de son existence. « Ne sommes-nous pas la preuve qu'une cohabitation est possible, voire profitable?…. » (Voilà que ça recommence. Elle s'insinue de nouveau dans sa tête. Elle a développé, du fait de sa connexion quotidienne au réseau d'ondes satellitaires, de surprenants dons de télépathie. Sans prévenir, sa voix peut s'infiltrer dans ses pensées, le sortant de ses réflexions, et amorcer avec lui un dialogue fraternel en excitant le flux de ses neurones.) « Avec toi, ce n'est pas pareil. Tu vis en présence de ta version originale. Ce qui n'est pas le cas des robots de Radio-Canada qui se substituent à la personne qu'ils dupliquent. Et puis, tu as perdu ton corps. Tu dépends donc de moi. » « Insinuerais-tu que j'agis de façon intéressée? » « Pas consciemment. Mais c'est peut-être dans ta programmation. Comme un code de survie. » « Tu ne comprends rien à rien, à cause de ton insensibilité. » « Et c'est une machine qui me le reproche… L'envers deviendrait-il

l'endroit ? » « À tout le moins, il y a une interpénétration.
Je l'observe depuis mon point de vue privilégié… Mais ne
digressons pas. Avec toi, c'est toujours pareil. Tu fuis les
conversations intimes en t'esquivant dans des théories géné-
ralisantes. Que crois-tu que cherchait André Toutant ? »
« Lequel ? » « Celui qui s'était évadé de la Tour et déguisé en
Michael Jackson. » « Il me semblait plutôt perdu. Par mimétisme, il reproduisait le comportement des humains qui l'en-
touraient. » « Ce n'est pas faux mais ce n'est pas tout. Il cherchait sa version originale. » « Mais il est tombé sur une
vulgaire réplique. » « D'où sa déception. Les androïdes ne
tolèrent pas leur propre multiplication. » « Et ceux qui se sont
suicidés dans le four crématoire ? » « Ils allaient rejoindre leur
double humain dans le pays des morts. » « Que va-t-il se passer si l'on empêche par la force un robot à retrouver sa version originale ou que celle-ci le rejette ? Va-t-il se rebeller
contre les humains ? » « Non, il cherchera la compagnie de
quelqu'un d'autre en qui il pourra avoir confiance et lui sera
fidèle. Certaines personnes ont une bonté intrinsèque qui
attire les androïdes. » « Cela commence à verser dans la sen-
siblerie à l'eau de rose… » « Trêve de sarcasmes. N'as-tu pas
remarqué à quel point René Lévesque est tombé amoureusement dans tes bras ? » « Quoi ? Tu veux dire que je serais
comme l'un de ces élus. Une sorte de messie pour la ferraille.
Voire, que le robot du premier ministre a décelé en moi le
prochain chantre de la nation. Pfft ! Ça ne tient pas la route. »
« Nie l'évidence, mais la réalité te rattrapera tôt ou tard. Ce
mécanisme de défense psychique que tu déploies sempiter-
nellement détruit ta vie affective. T'en rends-tu seulement
compte ? » « Épargne-moi ta psychologie artificielle. Tu ra-
bâches des arguments que tu as dénichés sur la Toile sans
même les comprendre. Tu te ridiculises. » « Dis-moi Louis
pourquoi tu vis seul ? Où est passée ta femme ? Tes enfants,
t'arrive-t-il de les revoir ? » « Tais-toi ! Tu m'emmerdes. » « À
part moi, qui as-tu pour partager ta vie lamentablement

solitaire? Des petites toupies qui tournoient comme des poules sans tête dans ton appartement. Que vas-tu faire des sentiments que tu éprouves à l'égard de Caroline Hébert? Les refouler comme tous les autres? Parce que, timoré comme un enfant, tu crains le rejet?»

L'inventeur attrape sa réplique par les cheveux, redescend dans l'immeuble et la lance dans le fond de la garderobe de sa chambre. Il a soudainement envie de boire un bon coup.

•

«Louis, réveille-toi. Allez. On va cogner à ta porte. Réveille-toi. Tout de suite!» Qu'est-ce que cela peut bien être? Dehors, l'obscurité règne encore; il perçoit le néant de la nuit par les stores ouverts. Il n'y a, dans la chambre, que la lumière rouge des toupies qui tournoient. Et un filet blanchâtre qui s'écoule de la garde-robe. Le robot a les yeux ouverts derrière la porte close, c'est lui qui l'extirpe de son lourd sommeil, comme s'il voulait l'aviser d'un danger. Mais ce que sa tête l'élance à cause de l'alcool qu'il a ingurgité pour s'assommer. Cloué au lit, son corps, encore tout habillé, refuse de bouger. L'inventeur déploie des efforts surhumains pour mouvoir sa masse qui pèse une tonne. «Va te passer de l'eau sur le visage. Gobe des aspirines. Brosse tes dents. Secoue-toi. Maintenant!» Il obtempère, le pas traînant. Ses sens lui reviennent peu à peu quand, la tête presque dans le congélateur, il applique un sac de glace sur ses tempes et sur sa nuque. Soudain, des coups cognés contre la porte de son appartement résonnent douloureusement dans son crâne.

L'écran installé dans un coin de la cuisine, relié à une caméra de surveillance, lui montre Caroline Hébert sur le paillasson, avec trois ombres derrière elle. Sous l'impulsion du moment, il ressent une certaine joie de la retrouver chez lui, mais son émotion se rembrunit vite. Cette visite surprise n'annonce certainement pas des retrouvailles heureuses ; il vaut mieux chasser de son esprit dans les vapes la perspective d'une accolade ou d'une caresse. Caroline Hébert a découvert son double jeu et, furieuse, elle vient régler ses comptes en pleine nuit. C'est la fin de leur quasi-idylle. Les hommes qui l'accompagnent ont dû tabasser le gardien de l'immeuble pour s'introduire jusqu'ici, comme l'avaient fait les sbires d'IBM, et ce sera maintenant son tour.

Dans son interphone, l'inventeur demande à Caroline Hébert ce qui se passe, protégé par la porte qui les sépare. Elle insiste pour qu'il lui ouvre et le rassure en lui disant que ce sont des amis qui l'accompagnent. Elle doit l'entretenir tout de suite d'une chose urgente, même à cette heure tardive. Il tente de temporiser, prétextant quelques empêchements, les enjoignant de revenir demain, mais les trois brutes s'impatientent de l'autre côté et menacent de défoncer la porte. Nerveusement, il déverrouille les serrures, dans l'attente de son proche châtiment.

En entrant, la femme se colle contre l'inventeur et lui donne un tendre baiser de Judas sur la joue, alors qu'il sent la froideur métallique d'un canon de fusil peser sur son ventre. Ils s'assoient dans la cuisine, chacun à un bout de la table, silencieux. Entre eux, l'arme provoque un malaise. L'inventeur ne parvient pas à deviner les pensées de Caroline Hébert, dont le visage de marbre ne trahit aucune émotion. Mais elle semble déterminée à accomplir quelque chose dont il ne sortira pas indemne. Pour le moment, il ne peut que l'observer pendant que les autres inspectent toutes les pièces de son appartement et vont de surprise en surprise. Elle a une queue de cheval et est entièrement vêtue de noir, son chandail et son pantalon moulent les formes de son corps, sa poitrine, son ventre plat, ses hanches voluptueuses, ses muscles fermes, et elle porte des gants pour dissimuler ses empreintes digitales, comme si elle s'était introduite dans un roman policier plutôt que dans l'appartement de l'inventeur. Il ne saurait trop dire pourquoi, mais la voir ainsi devant lui dans ce rôle de bourreau, le corps caché sous des vêtements sévères, l'excite, au point qu'il n'éprouve plus son mal de tête.

Quand les hommes reviennent dans la cuisine pour faire leur compte rendu, l'inventeur se sent ramollir et sa névralgie le fait de nouveau souffrir. Ils n'en reviennent pas. Dans le salon, des ordinateurs grouillent d'une activité perpétuelle et des téléviseurs reproduisent leurs pensées, tels des encéphalogrammes. Cela leur semble fort suspect. Un autre a mis d'étranges toupies dans un sac, il ne lui en reste plus qu'une à attraper qui se sauve et qui lui glisse entre les doigts. Mais le plus étrange, c'est cette tête trouvée dans la garde-robe. Regardez-la. Comme elle lui ressemble. Hystérique, elle ne cesse d'implorer pitié dans un torrent de larmes. L'inventeur a un pincement au cœur. Voilà comment il aurait réagi lui aussi s'il n'était pas aussi fier et introverti.

Caroline Hébert fait un signe d'acquiescement et l'inventeur ressent un choc douloureux contre sa nuque puis s'évanouit.

•

Il se réveille dans une pièce sombre, ligoté à une chaise, avec un sentiment de déjà-vu. Devant lui, un homme grille une cigarette. Le bout allumé irradie quand le fumeur inhale, éclairant son visage noirci par une barbe forte. L'inventeur devine aussi d'autres présences dissimulées dans les ténèbres qui attendent son retour à la conscience.

Soudainement, on allume un spot en plein dans ses yeux. Aveuglé, il ne voit pas les individus qui l'observent, mais, à son côté, il perçoit un homme grassouillet, ligoté lui aussi, qu'on a tabassé comme en témoignent les boursouflures et le sang séché sur son visage. La victime respire difficilement et siffle comme une bouilloire ; des bulles de salive naissent et éclatent entre ses lèvres fissurées et enflées, en suivant le rythme de son souffle. Des geignements ponctuent son sommeil comateux, sa souffrance lui ayant fait perdre depuis longtemps son sens de l'honneur. De toute évidence, les tortionnaires qui les ont kidnappés, lui et son compatriote de circonstance, ne blaguent pas et maltraitent leurs otages pour de vrai. L'inventeur ne pense pas avoir l'étoffe d'un héros romanesque pour jouer les matamores. Le mieux sera sans doute de coopérer, quoi qu'on lui demande. Ces gens-là, qui ont dévalisé son appartement avec Caroline Hébert, lui ont semblé désespérés. Des hommes animés par une telle émotion iront jusqu'au bout, si c'est leur dernier recours — comme autrefois les felquistes avec Pierre Laporte.

Bill Guterbenger, lui, n'avait rien à perdre et, au fond, l'inventeur lui était indifférent ; envoyer des durs à cuire pour le corriger était une tâche parmi tant d'autres, assez secondaire de surcroît, qu'on ajoutait à son agenda de maître du monde. Le simple fait de se manifester à l'hurluberlu québécois qui marchait sur ses plates-bandes suffisait pour le dissuader de poursuivre ses petites activités personnelles dans l'informatique. Mais, cette fois-ci, la situation n'est pas la même. Pour ces kidnappeurs — surtout pour Caroline Hébert —, il est un traître qui a contribué à affaiblir un groupe de scripteurs déjà moribonds. En effet, la conjoncture mondiale du marché des nouvelles technologies menace de les faire disparaître tôt ou tard. Ils le savent certainement au fond d'eux-mêmes. Mus par un pathétique romantisme de guérilleros, ils résistent pour survivre, comme un animal pris dans un piège. Simple pion d'un vaste échiquier, perdue dans une insignifiante province, Radio-Canada s'adapte aux normes modernes que les Américains imposent dans l'univers électrique des télécommunications. Aucun syndicat de travailleurs, reconnu ou interlope, ne peut contrer cette fatalité qui emporte la Tour dans son sillage, et qui emportera, dans un futur rapproché, tous les pays du globe terrestre ouverts au néolibéralisme.

La voix douce de Caroline Hébert surgit angéliquement du faisceau lumineux et sort l'inventeur de ses réflexions. L'interrogatoire débute. Son avenir va se jouer maintenant et dépendra de la réaction des ravisseurs suite à ses aveux. Il est inquiet, car son avant-gardisme déplaît de façon générale et suscite l'ire des esprits conservateurs. Son expérience à Cerisy l'a assez bien démontré. Les écrivains québécois le conspuent désormais pour avoir prophétisé la mort du papier. Mais ici, l'enjeu est encore plus réel puisque ses idées se sont déjà matérialisées. Elles ont produit des effets concrets malheureux pour les scripteurs qui n'ont plus d'emploi. Lorsqu'ils apprendront qu'il a été embauché spécialement pour automatiser la production des textes grâce aux machines qu'ils ont découvertes dans son appartement, ils voudront le tabasser lui aussi. Ce serait toutefois injuste de tout lui imputer, de lui faire adopter le rôle de bouc émissaire. Les transformations qui bouleversent leur univers sont après tout inévitables. L'inventeur n'est qu'un maillon dans ce processus aveugle et providentiel. Cela aura été lui mais aurait pu être un autre. La seule chose dont il est peut-être coupable est d'avoir contribué à accélérer la modernisation de Radio-Canada. Ce qui vaut comme punition, espère-t-il, deux ou trois coups de poing sur la mâchoire, pas davantage ; il serait exagéré qu'on l'envoie couler avec un bloc de béton dans le fleuve Saint-Laurent pour si peu. Après tout, se défendra-t-il, il n'a quand même pas inventé l'électricité !

« Louis... j'aurais aimé que les choses se passent différemment et que nous puissions faire de toi un allié. Mais la menace grandit plus vite que prévu ; il nous fallait agir tout de suite avant qu'il ne soit trop tard. C'est littéralement une question de vie ou de mort.

— Holà ! ne charrions pas. Vous dramatisez. Nous parlons seulement de quelques emplois perdus — si j'ai bien deviné

que ces brutes qui t'accompagnent sont des scripteurs au chô-
mage. La mort de qui ou de quoi, en fait? Expliquez-moi. Je
ne suis pas sûr de vous comprendre. Si quelqu'un risque de
trépasser ici, c'est ce type à l'agonie à côté de moi, qui n'est
plus qu'un tas de viande saignant par votre faute. Vous vous
prêtez à un jeu dangereux. Votre histoire se terminera mal.
Ça ne finit jamais bien pour les contre-révolutionnaires.

— Tu ne le reconnais pas? Regarde-le bien. (*L'inventeur
obtempère, mais vainement. Le type est trop défiguré par les enflures
et sa chair bleuie.*) C'est Victor Théberge. Il nous a tout raconté.

— Mais pourquoi cet enlèvement? Je t'aurais dit tout ce
que je savais. Je suis un esprit libre. Radio-Canada me laisse
indifférent. Cela ne me coûterait rien qu'on me vire, contrairement à vous. Je ne sais pas, moi, fondez un syndicat, écrivez
une convention collective au lieu de lyncher vos patrons. À
long terme, ce serait plus bénéfique. Tout ce que vous récol-
terez avec vos méthodes extrémistes, c'est un séjour derrière
les barreaux, et l'opprobre du peuple qui déteste les terroristes.

— Personne n'a confiance en ta parole ici, pas même
moi. Si au moins je pouvais me faire une idée de ce qui te
motive par tes œuvres littéraires, j'aurais pu te défendre aux
yeux de mes confrères. Mais, non, tu te dérobes dans tes
textes, laissant place à des jeux formels désincarnés. La
langue y tourne à vide. Et ton livre bizarrement prophétique,
La manufacture de machines, achève de me convaincre défavo-
rablement. Lorsque j'ai parlé de ce recueil dans l'un de nos
clubs de lecture secrets, mes compatriotes t'ont immédiatement détesté. J'ai bien essayé de leur expliquer le sens de tes
nouvelles, de ton style, de ton approche qui s'apparente à
une sorte de dissimulation, mais c'était peine perdue. Le fait
que tu décrives avec une objectivité froide un univers peuplé
de machines, un village industriel éthéré, où il n'y a plus
de personnages, sans prendre position, sans condamner le
déclin de l'humanité, te range indiscutablement du côté de

nos ennemis. De plus, ce que Victor Théberge nous a avoué sous la torture et les ordinateurs que nous avons découverts dans ton appartement nous confirment que tu as la volonté de réaliser concrètement ta vision futuriste. Et, pour cette raison, tu participes à la destruction de notre société typographique, tout en nuisant à nos propres destinées privées. Le pire, c'est que tu opères sur une base individuelle. Je te crois quand tu me dis que tu te fous de Radio-Canada. Mais cela ne te rend pas moins dangereux.

— Serions-nous revenus au Moyen Âge ? Vous vous prenez pour l'Inquisition ou quoi ? C'est un leurre que de penser avoir accès à l'âme de l'auteur dans sa littérature. Au contraire, je suis d'avis que le lecteur se révèle bien davantage vis-à-vis d'un texte. Ma *Manufacture* n'a rendu que plus évidentes vos peurs et vos obsessions. Et, puis, détrompez-vous, mon recueil est déjà daté. L'époque de la mécanisation industrielle que j'y mets en représentation est révolue, c'est celle de l'électricité et du génie informatique qui s'impose désormais. Cette nouvelle révolution technologique déterminera votre vie culturelle malgré vos protestations. Et puis, les expériences que je tente dans mon appartement ne valent pas grand-chose en comparaison de la puissance des méga-compagnies américaines, telle IBM, qui envahissent le marché mondial. Contre ce Goliath-là vous ne pouvez rien. Votre idéalisme vous obnubile et c'est lui qui vous perdra. *(Une toupie anti-gravité qui s'est échappée du sac où on l'avait enfermée tournoie derrière l'inventeur, le bord tranchant de sa soucoupe taillade progressivement la corde qui attache ses mains à la chaise.)*

— Convaincs-moi au moins que cette tête de robot, dont Victor Théberge ignore l'existence, ne prouve pas que tu es un agent au service des Américains. »

Un kidnappeur change l'angle du spot pour que l'inventeur puisse voir son double au milieu de la table, tout près de Caroline Hébert. La chose intelligente a les yeux bouffis d'avoir trop pleuré et les traits de son visage se crispent nerveusement. Elle implore encore pitié, mais faiblement comme si elle avait la conviction que son trépas viendrait bientôt et que plus rien n'inverserait le cours de sa fin en marche. Bien qu'il trouve son hystérie ridicule, l'inventeur éprouve néanmoins de la pitié pour la machine, laquelle a déjà surmonté le traumatisme de sa décollation. Ce grand malheur aurait dû lui suffire. C'est bien assez dans une vie, d'autant plus que son double n'a pas été conçu pour affronter la mort. Ses créateurs lui ont certainement fait miroiter qu'il vivrait éternellement, tant qu'une impulsion électrique l'animerait. Il n'y a aucune raison pour que cette énergie ne se renouvelle pas constamment.

Sa réplique croise furtivement le regard de l'inventeur, dont les mains sont enfin déliées, puis elle entre en transe. Elle parvient à capter, même dans ce hangar perdu, des ondes satellitaires. Sa voix s'insinue dans la tête de sa version originale et lui souffle qu'elle appelle aussitôt à l'aide. D'ici là, il faut gagner du temps.

« Cette tête-là, eh bien on me l'a offerte chez Radio-Canada. Ne saviez-vous pas que, dans les sous-sols de la Tour, on construit des robots qui se substituent aux vedettes : animateurs, journalistes et comédiens. Vous, les scripteurs, vous devez être les seuls à vous promener sur les étages en ignorant la présence des machines humanoïdes qui vous entourent. *(Grognement de Victor Théberge qui ordonne à Louis Philippe de se taire.)* Tiens, il ne dort pas celui-là. Demandez-lui donc de vous parler de la maladie qui frappe mystérieusement ses employés trop longtemps exposés à l'œil des caméras. »

Un homme cagoulé attrape Victor Théberge par le collet et le gifle violemment. Il exige des explications, sans quoi il le torturera de nouveau, à l'aide de supplices douloureux qu'il ne peut même pas imaginer. L'otage proteste, précise, étouffé par les larmes, le sang et les sécrétions, qu'il court à sa perte s'il leur dévoile les secrets de la Tour, que ses patrons — qui commandent des forces insoupçonnables — ne lui pardonneront jamais sa traîtrise, qu'il finira déshonoré, humilié, ainsi que sa famille, qu'on décervellera et mettra en cage. «Parle, gros porc», lui crie son tortionnaire, tout en brûlant sa joue avec sa cigarette. À travers le hurlement de la victime, on entend le son de friture de sa peau qui carbonise. L'esprit de Victor Théberge, incapable de tolérer davantage de souffrance, franchit alors un seuil et se rebelle, après avoir été si couard et docile sous les divers châtiments. Voilà que le bonze de Radio-Canada retrouve une étonnante énergie, mu par la colère et un trop grand désespoir. Il rit de façon démoniaque, comme devenu fou. Ces scripteurs, au fond, il les trouve bien pathétiques. Ils sont là à fouiner laborieusement dans les livres, à se creuser les méninges pour trouver des idées et pondre, lentement, trop lentement, des textes pour les émissions de la chaîne, alors que, tout autour d'eux, une nouvelle supraconscience émerge d'un grand champ électrique, un supercerveau, un superlecteur, une espèce de divinité qui pensera pour les hommes de façon instantanée et qui remplacera tous les besogneux gratte-papiers, parce qu'elle sera moins onéreuse et plus efficace qu'eux, ces petits êtres conservateurs et revanchards. Quand il y pense, après tout, ils ne sont tellement pas dans le coup que c'en est risible. Non pas risible, plutôt désolant, triste, d'une tristesse inouïe. Il a parfois l'impression que les scripteurs s'entêtent à nager à contre-courant et que, lui, il assiste, dans le confort de son luxueux paquebot moderne, à leur noyade annoncée dans l'abîme d'un passé révolu. Ce qui va survivre aux scripteurs, c'est un monde virtuel, aux capacités infinies, et qui sera indifférent à leurs disparitions, à leurs élans suicidaires et à leur martyrologie. Mais sous leurs dehors de sainteté, ils ne sont en fait qu'une petite élite bourgeoise alphabétisée en déclin, luttant pour préserver des acquis qui brillent aujourd'hui par leur inutilité. Car les bibliothèques seront bientôt toutes détruites au profit d'écrans tactiles hypercoopératifs, fort amicaux et d'une hallucinante verbosité. L'électrification du savoir fera mieux et davantage que le livre primitif, qui scelle les connaissances dans la poussière, comme on referme le couvercle d'une tombe sur un corps inanimé en décomposition...

La tirade de Victor Théberge est interrompue par le bruit d'une fenêtre qui vole en éclats et du verre cassé qui tombe sur le sol. Un homme d'une grande taille, de forte stature, se faufile par l'ouverture, insouciant des bords tranchants qui risquent de le couper. La panique s'installe chez les kidnappeurs, qui saisissent leurs armes et qui pointent les canons sur l'intrus en menaçant de lui trouer la peau. L'autre ne bronche pas et pose ses pieds sur le sol. Ses mouvements lourds et machinaux provoquent un effet d'étrangeté qui stupéfie les scripteurs. L'homme porte des vêtements de cuir noir ainsi que des verres fumés, qui donnent un air encore plus sévère à son visage carré et impassible, dont la mine patibulaire ressemble à celle du Terminator. Plus au fait de la contamination virtuelle depuis son expérience avec des zombis au Stade olympique, l'inventeur croit reconnaître un sosie d'Arnold Schwarzenegger. Quant à sa propre réplique sans corps sur la table, elle affiche un sourire de satisfaction. Le substitut de la star hollywoodienne et le robot d'IBM sont de connivence. Des premiers coups de fusils sont tirés dans le ventre de la machine, puis au visage, arrachant des lambeaux de peau et les lunettes. Elle ne bronche pas puis s'avance, dévoilant, plus elle approche, sa structure métallique, là où les balles l'ont atteinte. D'une main puissante, elle serre les poignets d'un scripteur, qui vidait désespérément le chargeur de son fusil ; ses os sont broyés, il hurle de douleur et ses doigts mous échappent l'arme. Sans cérémonie, le Terminator lui éclate le crâne, comme s'il s'agissait d'un vulgaire pamplemousse. Le bourreau des temps futurs contourne la table et se dirige vers les autres scripteurs. L'inventeur doit vite profiter de cette distraction pour s'enfuir. Il attrape son double par les cheveux et le bras de Caroline Hébert, laquelle est tétanisée par le revirement de situation, et les emmène vers la porte du hangar, heureusement déverrouillée. À peine ont-ils franchi le seuil qu'ils entendent le bruit des exécutions ainsi que les cris de terreur de Victor Théberge, qui n'échappe pas au Terminator, même si, ligoté, il ne constituait pas une menace. À la fin, une fois le bourreau parti, il ne restera plus que des corps réduits en bouillie. Des mouches parasiteront la scène du carnage, en compagnie des infatigables toupies que rien n'émeut ou ne dérange.

Intermède : la postérité de McLuhan

Sur cent concurrents, il est le seul à ne pas avoir donné une mauvaise réponse aux questions de l'animateur. Le quiz se complexifie plus l'émission progresse et, au fur et à mesure, on élimine des participants, jusqu'à ce qu'il n'en sorte que le meilleur d'entre eux par le goulot de l'entonnoir. Arrivé à ce stade-là — le clou de la soirée —, le participant, applaudi par ses rivaux, descend des gradins rejoindre l'animateur au centre du plateau de télévision. Pour gagner le gros lot, il doit répondre correctement à cinq questions sur le même thème, lequel sera déterminé au hasard parmi un ensemble de possibilités, fixées d'avance par un programme informatique.

L'animateur affecte une grande convivialité avec le meilleur concurrent et lui demande de se présenter, comme cela est prévu dans le script. L'érudition du peuple s'incarne dans des corps très différents d'une fois à l'autre, et, par moments, le téléspectateur s'étonne qu'un camionneur aux allures frustes soit aussi savant. Mais pas ce soir, car le participant a un look prévisible de bureaucrate en fin de carrière : lunettes rondes d'intellectuel, barbe finement taillée, veste de tweed, ventre un peu proéminent — signe qu'il fréquente avec assiduité, comme bien des fonctionnaires oisifs et hédonistes, les bons restaurants du centre-ville. On l'imagine facilement passer du temps dans les livres, voire en train d'user les bancs de l'université le soir, afin de s'instruire toujours et encore, remplissant son cerveau de choses superflues.

À l'écran, les thèmes clignotent puis, à la fin du décompte, l'ordinateur fait son choix : Marshall McLuhan. Afin d'évaluer les chances du concurrent, l'animateur lui demande si c'est un bon sujet. « Pas si mal », répond-il, un petit sourire narquois au coin des lèvres. Il ne semble pas pris au dépourvu. Les chances sont donc bonnes pour que l'émission termine sur un climax, comme le souhaite toujours l'équipe de réalisation qui espère un bon show.

Commence un roulement de tambours. Les lumières sont éteintes. Un projecteur éclaire le concurrent et l'animateur. Voici arrivé le moment de vérité tant attendu.

L'écran se divise en deux. À gauche, il y a un gros plan de l'animateur et, à droite, celui du concurrent, qui ne se départit pas de son flegme.

QUESTION 1
Célèbre intellectuel canadien, théoricien des communications, Herbert Marshall McLuhan, né en 1911 et décédé en 1980, est avant tout un professeur d'université émérite, diplômé de Cambridge, où il a soutenu, en 1939, une thèse de doctorat sur Thomas Nash. Dans quelle université canadienne enseignera-t-il la littérature anglaise ?

RÉPONSE 1 *(sans hésitation)*
L'Université de Toronto.

QUESTION 2
L'ouvrage *Understanding Media,* paru en 1964, consacre la renommée de McLuhan. C'est dans ce livre qu'on trouve la fameuse expression qui cristallise sa pensée. Quelle est-elle ?

RÉPONSE 2 *(frondeur)*
Le message, c'est le média.

QUESTION 3
Tel que l'affirme McLuhan dans *The Gutenberg Galaxy,* qu'est-ce qui, pour Platon, constitue un appauvrissement de l'Être ?

RÉPONSE 3 *(déclamatoire)*
Le choc de l'alphabétisation et l'isolement du sens de la vue dans l'exercice de la lecture.

QUESTION 4 ET RÉPONSE 4 *(en chœur, avec fluidité)*
Complétez les trous dans ma phrase. À l'ère de Gutenberg correspond une unité mécanique qui structure la société. L'homme alphabétisé évolue dans des espaces compartimentés et linéaires, effectue des tâches spécialisées et fragmente le savoir à l'aide de technologies analytiques. Tandis qu'à l'âge de l'électricité correspond une unité…
… organique.
L'homme, qui redevient tribal, évolue dans un cosmos…
… ouvert…
… où les technologies ne sont pas…
… spécialisantes…
… mais…
… contractées…
… au sein d'un…
… Village global…
… virtualisé…
… sous le regard…
… de Dieu…
… ou de ce qui en tient nouvellement lieu…
… comme une espèce de…
… système nerveux central.

QUESTION 5
En considérant qu'à l'âge mécanique les technologies ont permis de prolonger le corps dans l'espace, quelle est la phase finale des prolongements de l'homme que permet l'avènement des technologies de l'électricité, qui servent à abolir le temps et l'espace?

RÉPONSE 5 *(pompeux)*
La simulation de la conscience.

Oui, c'est un parcours sans fautes, exécuté avec un aplomb consternant. L'animateur exulte et la foule, dans la lumière revenue, sert au concurrent un tonnerre d'applaudissements et de hourras. L'animateur rappelle le montant du prix que gagne le meilleur d'entre eux et lui annonce, en guise de conclusion, la visite d'un invité surprise qui tient spéciale-ment à le féliciter. Apparaît alors sur le plateau le fantôme de Marshall McLuhan, un hologramme à la résolution impar-faite, en teinte de gris des pieds à la tête, traversé par des flux électriques. Le générique défile alors que le fonctionnaire, pour une première fois déstabilisé, serre la main du savant virtuel.

Au moment où le régisseur crie « Coupez », le studio se vide rapidement, car — comme on enregistre des émissions en rafale — il faut faire entrer de nouveaux participants sans tarder. L'animateur a l'habitude de raccompagner lui-même le gagnant derrière les caméras mais, aujourd'hui, McLuhan l'en empêche, car il reste là, dans sa posture bien droite de gentleman, ses cheveux laqués, sa fine moustache, le regard moqueur, à s'entretenir avec le fonctionnaire, qui n'ose pas s'en aller non plus. Les techniciens ne comprennent pas ce qui se passe ; le revenant ne devait pas prendre de pareilles initiatives. Normalement, il aurait dû s'effacer avec la ferme-ture des faisceaux laser au lieu de persister sur le plateau comme une tache lumineuse sur la rétine. D'une impatience notoire, irritable à souhait, l'animateur piquera bientôt une crise si le problème ne se résout pas ; son visage s'empourpre déjà. La panique s'installe dans l'équipe de production. Mais le fantôme parle calmement.

« Quelle performance spectaculaire vous avez livrée ! L'étendue de vos connaissances m'a surpris, moi qui, dois-je admettre sans fausse modestie, suis pourtant très savant. Bien sûr, j'ai aussi été flatté par votre maîtrise de mes théories. Vous me prouvez qu'elles m'ont survécu et que j'avais vu juste ; nos sociétés ont bel et bien été transformées par les technologies électroniques. Votre usage débridé, voire autiste et soumis, d'Internet, des ordinateurs portables, des téléphones intelligents, confirme mes prédictions, formulées pour la plupart dans les années soixante. Quand même, avouez que ce n'est pas si mal. Disons-le. J'ai été un visionnaire. J'avais aussi raison de spécifier que chaque révolution médiatique connaîtrait une phase de transition, lors de laquelle la rencontre de plusieurs médias créerait des formes hybrides temporaires. C'est effectivement le cas maintenant, alors que s'implantent les médias numériques interactifs et que des pratiques qui seront bientôt obsolètes persistent encore. Par exemple, prenons votre cas. Votre érudition, lentement et patiemment acquise, relève d'un autre âge ; l'homme nouveau n'aura plus à mémoriser les connaissances, car elles lui seront toujours accessibles de façon instantanée grâce à l'omniscience de la Toile électromagnétique. Vous serez donc un étranger aux yeux de cet homme. En effet, tout ce temps gaspillé à ruminer le savoir des livres lui semblera une aberration. Lui, il sera constamment ouvert aux champs des possibilités. Autrement dit, il jouira d'une totale liberté au sein d'une communauté organique qui vivra dans le partage constant de son existence avec les autres. Alors que vous, pauvre disciple de Gutenberg, vous vivez en retrait du monde, comme un moine dans son abbaye, afin de devenir laborieusement un spécialiste de la lecture. Du coup, vous avez certes développé une capacité de mémorisation phénoménale, utile dans une société mécanisée dans laquelle chaque individu occupe une fonction déterminée. Mais, dans un monde peuplé de machines intelligentes, où l'ensemble de la production des biens a été automatisé, cela ne vous servirait strictement à rien d'accumuler autant d'informations.

— C'est fort intéressant, merci », affirme l'animateur, qui, de plus en plus impatient, interrompt le discours professoral de McLuhan. Mais le concurrent est toujours hypnotisé par l'apparition spectrale de l'intellectuel canadien. L'hologramme ignore l'animateur, qui fulmine.

« J'imagine que les résistances aux changements seront très tenaces dans les maisons d'enseignement. Je dis cela, car vous m'avez fait penser à un écolier répondant sagement aux questions de son vieux professeur. Votre démonstration recelait d'ailleurs un certain archaïsme. Les enfants n'auront plus à répondre aux questions de leur maître dépassé. Ils seront en un rien de temps aussi savants que lui, à condition qu'ils puissent se servir des outils électroniques dans les classes. Mais si le professeur l'interdit et refuse de s'adapter au contexte moderne — comme c'est encore généralement le cas aujourd'hui —, il reproduira une pédagogie impropre à communiquer avec ses élèves, dont la psyché se butera à l'apprentissage des coutumes anciennes, telle la lecture. C'est une règle de base. Les enfants ne parviennent pas à se représenter des choses qui ne les concernent pas directement. Ainsi, le professeur voulant en faire des lettrés en fera plutôt des ignorants complexés, tout cela à cause de sa nostalgie pour son univers passé, qu'il s'obstine à transmettre dans les formes d'autrefois. N'oublions pas que le professeur a ses motivations égoïstes. Maîtriser les codes de sa discipline a exigé de sa part des efforts considérables. Il n'abandonnera pas facilement l'autorité et le pouvoir que son diplôme durement acquis lui confère au sein de la structure sociale qui le reconnaît, mais que les chantres de l'électronique agressent avec une remarquable efficacité.

— Assez, c'est assez ! Vous nous assommez avec votre pelletage de nuages. Soyez gentil et disparaissez dans vos limbes. Moi, j'ai du travail à faire ici.

— Les anthropologues de la première moitié du XXe siècle, au temps de la colonisation, nous ont laissé de nombreux témoignages instructifs sur la façon dont les médias conditionnent nos esprits, poursuit McLuhan *(qui ne semble même pas avoir entendu l'animateur — qui, exaspéré, court engueuler le réalisateur, laissant en plan le concurrent avec le fantôme)*. Les peuplades primitives africaines à qui ils projetaient des films n'avaient pas la capacité sensorielle pour suivre les images en mouvement. Elles ne saisissaient pas la profondeur et comprenaient encore moins la logique du cadre, qui les embêtait. Où s'en allaient les personnages qui en sortaient? De plus, leur regard ne se concentrait pas sur un seul élément de l'image, comme le nôtre le fait naturellement (parce que nous comprenons qu'elle s'intègre dans une séquence narrative), mais, au contraire, il en parcourait la totalité et, pour elles, tout avait une importance égale. Le sens occidental du récit échappait donc irrémédiablement à ces spectateurs non civilisés qui croyaient encore, à cette époque, aux pouvoirs d'ensorcellement du chaman de leur village. Cela nous démontre juste à quel point les médias nous aliènent et construisent notre espace mental. Dans son histoire, l'homme en prend rarement conscience. Les révolutions médiatiques, comme celle de la Renaissance — avec la découverte de l'imprimerie — ou celle actuelle de l'électrification, sont des moments privilégiés pour réaliser comment nous devenons l'instrument de nos propres inventions...

> *Discrètement, à l'insu de l'intellectuel absorbé dans sa réflexion, un technicien s'est avancé sur le plateau pour attraper le concurrent par un pan de sa veste et le tirer vers lui. L'universitaire parle encore, même s'il n'a plus d'interlocuteur pour l'écouter.*

... cette prise de conscience est souvent trop tardive. On n'écoute jamais les prophètes. Moi, on m'invitait bien partout, même à la télévision — où je ne me gênais pas pour apparaître (les mauvaises langues prétendaient que j'étais un

Kid Kodak) —, mais ce que j'expliquais amusait avant tout la foule, qui voulait rire et qui s'en balançait de ma prescience. Plusieurs de mes collègues à l'université me traitaient même de bouffon ésotérique. Cela me chagrinait et me révoltait. Oh ! je ne suis pas le premier savant à n'être pas reconnu à sa juste valeur par ses contemporains. Pensez à Galilée, à Freud, à Darwin. Je ne veux pas me plaindre mais seulement illustrer une vérité universelle. Les pensées novatrices se heurtent toujours à de la résistance. Sauf que, dans mon cas, elle s'est manifestée de façon plus complexe et diversifiée, et elle n'était pas seulement imputable aux individus. En fait, je ne possédais pas un bon canal de communication pour exprimer mes idées. Si je parlais à la radio, on imaginait que je tenais un discours métaphysique, d'une grande profondeur spirituelle. À la télévision, la présence découpée de mon corps nuisait à l'expression de mes idées, qui se dispersaient dans la mosaïque des images. L'université aurait dû être l'endroit de prédilection pour partager ma vision, mais les étudiants n'acceptaient pas qu'un professeur critique leur manière de penser. Pour eux, la réussite passait par la prise de notes intensive et par l'étude des livres, qu'ils apprenaient par cœur et qu'ils répétaient dans leurs travaux. Quant à mes essais, on les a beaucoup louangés, bien que je trouve ironique qu'ils critiquent la genèse de l'homme typographique et leur propre support… »

Le régisseur ordonne qu'on coupe le courant dans tout le studio qui est plongé immédiatement dans un noir opaque. La tentative n'a malheureusement pas marché. La présence du spectre luminescent s'en trouve magnifiée. On commence à croire que le fantôme hantera longtemps le studio et, à en juger par son aisance à discourir, que sa leçon ne perdra pas sa vitalité de sitôt.

5

La tête le regarde avec un air de condamné. « Je sens la fin qui s'approche. » En arrivant dans la chambre de ce miteux hôtel de passe, l'inventeur avait déposé son double dans le fond de l'évier de la salle de bains. Caroline Hébert, qui ne supportait pas la présence du robot, lui avait demandé de le ranger quelque part hors de son champ de vision. Elle sentait que la machine l'épiait et fouillait ses moindres replis.

C'est quelque chose à quoi l'inventeur n'avait jamais pensé. Sa réplique incomplète avait-elle le pouvoir de se glisser dans d'autres têtes que la sienne ? Et pouvait-elle contrôler leur esprit ? Le corps nu de la femme, visible depuis l'entrebâillement de la porte, éclairé par la lumière du jour qui se lève, ses seins qui pointent vers le ciel, son pubis que dissimule à peine la couverture, dégage une incroyable sensualité. Comment Caroline Hébert a-t-elle pu s'offrir à lui avec une si grande ardeur, lui si moche, elle si glorieuse ? Sur le moment, il avait cru qu'elle avait été excitée parce qu'il l'avait sauvée du Terminator et que, traumatisée par la mort de ses collègues, elle avait succombé à une faiblesse temporaire. Les fantasmes ont la vie dure et, par chance, sa virilité, autrement frileuse, avait été ragaillardie par l'illusion d'être soudainement devenu un mâle désirable et chevaleresque. Mais ce matin, il remet tout ça en question, avec le jour et la terne réalité revenus.

L'image que lui renvoie le miroir le désole. Sa peau blême de fatigue, les poches verdâtres sous ses yeux, ses cheveux gras en bataille, ses lunettes sales de travers sur son nez. Et ce n'est guère mieux au fond de l'évier. On dirait lui, passé sous la guillotine. Sauf que le visage caoutchouteux ne reste pas longtemps figé dans l'expression d'un mort. Il s'anime sous le bec menaçant du robinet. La peau des joues est secouée par des spasmes. Les yeux roulent dans leurs orbites. De se voir ainsi dédoublé procure pour la première fois à l'inventeur, depuis qu'il partage sa vie avec sa réplique, un malaise. Il se sent dépossédé. Comme vidé intérieurement. En plus, cette voix à la fois étrangère et trop familière qui lui annonce la fin renforce ses émotions négatives. Il aurait le goût de disparaître.

« Le Terminator ne tardera pas à nous retrouver. Il sent la présence de mon champ électromagnétique. » « Ne pourrais-tu pas l'éteindre ? » « Non, c'est impossible. Il s'agit de mon suc vital. Je ne peux pas me passer de cette énergie. » « Je pourrais te détruire alors… » (*Un nuage noir passe au travers du visage de la réplique saisie d'effroi. Comment lui, avec lequel elle a été si fraternelle, peut-il évoquer aussi froidement sa mort ?*) « T'es pas sérieux Louis ? Tu ne penses pas ce que tu dis, hein ? Tu n'en serais pas capable. Tu n'as pas l'âme d'un tueur. » « Je n'aurais qu'à t'écraser à coups de talon ou, plus simplement, à vider de l'eau dans ton cou pour provoquer des courts-circuits (*il fait semblant d'ouvrir les robinets*). Je m'ennuie du caquètement des poules, de l'odeur du maïs, du chant des grillons. Au fond, je pourrais plus simplement te laisser ici comme appât. J'emmènerais Caroline se cacher avec moi dans les dernières terres arables de Mirabel. » « M'annihiler ou m'abandonner… Je n'en reviens pas. Voilà ce que tu trouves de mieux pour te sortir de ce guêpier. Après tout ce que nous avons vécu et ce que j'ai fait pour toi. Je te rappelle que ces scripteurs t'auraient éliminé sans mon intervention, et que cette femme ne les en aurait pas empêchés. » « Je n'en suis pas si sûr. Pas après ce que je leur aurais appris de mon expérience d'hier. J'aurais pu devenir un atout majeur dans leur guérilla. Ils auraient eu besoin d'un type comme moi qui connaît les technologies informatiques et qui a ses accès dans la Tour. On combat le feu par le feu. » « Rêve toujours… Les héros n'existent pas. Tu ne contrôles rien de ce qui se passe. Personne ne contrôle quoi que ce soit. Crois-tu vraiment que Caroline Hébert a été séduite par tes charmes ? » *(L'inventeur se sent piqué au vif par cette saillie qui blesse son amour-propre.)*

•

« Que fais-tu, Louis ? Que te veut cette chose ? » Elle est là, appuyée contre le cadre de la porte, enroulée dans un drap blanc qu'elle tient contre son admirable poitrine. Son corps dégage une chaleur envoûtante. Ses lèvres, son cou, son buste, sa jambe qui se dévoile, dessinant une serpentine arabesque de chair… Il ressent encore son désir qui monte. Son entre-jambe le picote. Cependant, son gland qui le brûle freine un peu l'élan de son corps. Certes, l'érection viendrait une fois de plus, puissante, mais avec une douleur en guise de rappel de ce qui a déjà eu lieu et qui aurait dû le satisfaire pour un temps. Lui d'habitude si abstinent et reclus n'est pas entraîné à la débauche.

Il éprouve d'ailleurs une certaine honte au sujet de la nuit dernière. Leurs ébats, d'abord tendres, étaient devenus de plus en plus féroces à partir du moment où ils avaient atteint une certaine intensité. Jamais il ne s'était vu aussi emporté et bestial. Mais la femme acceptait sa fureur, voire l'encourageait. Au bout du compte, il n'aurait su dire si leurs corps s'aimaient ou s'ils luttaient. Que voulait Caroline Hébert ? Faire mal ou souffrir ? Jouir encore ? Il cernait mal ses intentions. Alors qu'il croyait qu'elle le caresserait, elle frappait ses testicules ou l'étranglait. Puis le consolait, prenant sa tête contre ses seins réconfortants. Elle mordait et embrassait. Pleurait et criait. Et lui aussi vibrait de toutes ses fibres, fou d'excitation. Tantôt, son vit s'adaptait mal à la danse du croupion. Mais voulait-elle qu'il la sodomise ? Vicieusement, à son tour, elle attentait à son anus, quand il croyait le repos venu après l'éjaculation. Comme si, par une contre-offensive, il devait être pénétré par il ne sait trop quoi. Et ils recommençaient. Le plus stupéfiant survenait avec les orgasmes de la femme. L'inventeur avait l'impression d'être soudé à elle et de former un bloc en apesanteur. L'ivresse du plaisir les affranchissait du poids de leur masse. C'était irréel.

●

La chose ne lui veut rien de spécial. Il pense même qu'elle est cassée. La femme accepte le mensonge et lui demande de sortir avec sa babiole pour qu'elle puisse uriner et faire ses ablutions. Son double sur le lit, dans les draps défaits, il le questionne. « Essaies-tu de me faire croire qu'elle n'a pas eu conscience de nos ébats ? qu'elle aurait tout oublié ce matin ? » « Si je réponds oui, que vas-tu faire ? Me renieras-tu ? Me mettras-tu aux ordures ? » « Je ne pensais pas sérieusement ce que j'ai dit tantôt. Tu n'as rien à craindre de moi. » « Voilà qui me rassure. J'étais atterré par ton changement subit d'attitude. Mon monde s'écroulait de te voir ainsi… » « Nous n'avons pas de temps à perdre avec tes émotions. Je dois comprendre avant qu'elle ne sorte des toilettes. Toi-même tu me signifiais que la fin approche. Allez ! Je veux savoir. Contrôles-tu ses pensées ? » « Pas maintenant. Je suis toutefois parvenu à l'exciter sexuellement, pour te rendre service. » « Ne fais plus jamais ça. As-tu compris ? C'est dégueulasse. » « Oui, mais quel dommage. L'extase que j'ai ressentie surpassait de loin les plaisirs que me procurent les ondes satellitaires. Au moment des orgasmes, je volais littéralement au-dessus de l'évier. » « Ton intrusion dans les psychés va beaucoup trop loin. Il faudra que je te dicte des règles de conduite. Tu franchis des limites inacceptables. Ça devient horrifiant. » « Je n'ai pas du tout la même conception des choses. Et puis, je connais tes fantasmes. Tu devrais me laisser faire. Ta vie deviendrait bien plus palpitante. Mais, bon, je respecterai ta volonté si tu en décides autrement. Pour l'instant, néanmoins, je te proposerais de rejouer avec le corps de la femme, étant donné que l'heure est sérieuse. J'ai l'impression que mes émanations magnétiques sont annulées lorsque je me connecte sur sa jouissance. C'est comme si je m'humanisais. On pourrait ainsi confondre le Terminator qui s'approche, s'il perd mon signal. » « C'est ta seule stratégie ! Que nous copulions, toi avec nous ? » « Attention, la voilà qui revient. Aie l'air naturel. »

Une serviette passée autour de son buste et une autre nouée autour de sa tête, ses longues jambes nues encore mouillées, Caroline Hébert les rejoint sur le lit, avec un regard de méfiance pour le robot, que l'inventeur cache sous un oreiller. Elle assèche vivement ses cheveux puis les ramasse dans une couette. Sans pudeur, elle défait l'autre serviette et découvre ses seins. Y a-t-il là un signe de rapprochement ? Le robot la posséderait-il encore ? Il espère que non, bien qu'il durcisse, et se convainc qu'elle est consciente puisqu'elle met ses sous-vêtements. Mais voilà qu'elle relance son pantalon au sol et que ses mains montent dans son dos, comme téléguidées vers le soutien-gorge pour le dégrafer. Il doit créer tout de suite une diversion. Il enfonce deux doigts dans les yeux de son double puis adresse la parole à la femme.

« Nous ne pouvons rester ici bien longtemps. L'exécuteur nous recherche. Le mieux serait de quitter l'île de Montréal au plus vite.

— Dis-moi, Louis, les a-t-il tous tués ?

— Malheureusement, je crois que oui.

— Qu'est-ce qu'Arnold Schwarzenegger vient foutre dans nos vies ? On dirait une mauvaise blague. Comme cette tête que tu trimballes. Cela ne me dit rien de bon. Je ne sais pas non plus ce que tu attends de moi. Vas-tu me livrer à la police pour te disculper quand on aura découvert les cadavres, dont celui de Victor Théberge ? Ou, bien, comptes-tu m'offrir en sacrifice aux patrons de la Tour ?

— Tu te méprends sur mes intentions. Je sympathise avec vous, les scripteurs, même si je désapprouve vos méthodes en ce qui me concerne. D'ailleurs, je m'apprêtais à vous dévoiler certains secrets pour vous prouver ma bonne foi. Mais le temps m'a manqué, tout comme maintenant. Habille-toi vite. Il faut déguerpir. »

Elle a à peine enfilé tous ses vêtements que la réplique de l'inventeur crie « Non ! » sous les couvertures et les avertit de l'arrivée imminente du Terminator. La femme le regarde furieusement. Son double n'était-il pas brisé ? Mais avant qu'il ne puisse placer un mot pour s'expliquer, la porte de la chambre saute, fracassée par Arnold Schwarzenegger. L'exécuteur projette Caroline Hébert contre le mur. Elle tombe, évanouie. L'inventeur n'a qu'une seule idée pour se protéger ; il utilise sa deuxième tête comme un bouclier « humain », mais elle l'implore de ne pas l'exposer ainsi. Les exécuteurs n'aiment pas les créatures de son espèce, beaucoup mieux réussies et intelligentes qu'eux. Ils en ont développé une jalousie. Sans aucune pitié, la main du bourreau broie le crâne métallique du double, comme s'il se vengeait d'avoir été si longtemps humilié sur les bancs d'école. La vie s'échappe brutalement de la matière aplatie. Ce meurtre surprend l'inventeur, qui croyait tous les robots solidaires. Que peut-il faire maintenant que la poigne du célèbre haltérophile se referme sur lui ? Gémir ? Compisser ? Plutôt fermer les yeux et mourir en attendant la suite tel un condamné.

•

L'inventeur reprend conscience. Il respire encore. Oui, c'est bien de l'air qu'il inspire et expire de ses poumons. Le Terminator ne l'a donc pas tué. Mais où se trouve-t-il, attaché de nouveau, cette fois par des sangles, couché sur le dos? Dans un cercueil? En tout cas, l'obscurité est si opaque qu'il se croirait dans sa dernière demeure.

Décidément, depuis le début de ses aventures, qui ont commencé avec l'amélioration des Remington, il a peu d'emprise sur les événements. D'une fois à l'autre, il se retrouve pris en otage, à la merci de ses ravisseurs. Des forces plus grandes que lui décident de son destin, auquel il se plie toujours dans l'espoir qu'on finisse par l'oublier. Cela est un signe évident de faiblesse. Cette fois-ci, l'impression qu'un dénouement malheureux et irréversible va survenir le tenaille. L'inventeur sait qu'il y assistera impuissant, et que le temps des fausses bravades est terminé.

Mais à ses côtés sourd une plainte. Quelqu'un renifle. Étouffe un pleur. Est-ce elle? Il n'affronterait donc pas seul ses derniers moments. Cela ne le rendra pas plus courageux, mais, pense-t-il égoïstement, cette présence le réconfortera un peu.

« Caroline, est-ce toi?

— Louis?

— Oui, c'est moi. Comment vas-tu?

— J'ai mal partout. Je pense que cette brute m'a cassé des os. Et je ne peux pas bouger. On m'a attachée.

— C'est pareil de mon côté.

— Tu as une idée où nous sommes?

— Cela ne m'étonnerait pas que nous nous trouvions dans les sous-sols de la Tour. Nous l'apprendrons bien assez tôt. Nos tortionnaires n'ont certainement pas l'intention de nous laisser pourrir ici, sinon le robot gonflé aux stéroïdes nous aurait déjà éliminés.

— Ils vont faire quoi avec nous?

— Ça, je ne le sais pas. Si ma tête était encore là, je pourrais le lui demander. Elle avait des connexions. Mais le Terminator l'a écrabouillée.

— Je me demande bien pourquoi tu as bricolé ce mannequin sans corps à ton effigie. Tu sais que nous avons trouvé très suspectes les activités auxquelles tu te prêtais chez toi, tes ordinateurs, tes toupies, ce double bavard… Ta *Manufacture* aussi nous confirmait que tu nuirais tôt ou tard à notre cause. L'insensibilité avec laquelle tu racontes la fin des hommes… Cependant, là, je n'y comprends plus rien. Te savoir prisonnier à mes côtés me rend perplexe. Ainsi que le fait que tu m'aies sauvée du Terminator… Bref, tu n'es sans doute pas l'espion redoutable que j'imaginais.

— Je ne suis ni innocent ni coupable dans toute cette affaire. Tu pourrais avec raison me reprocher d'avoir été trop indépendant dans mes choix et, aussi, secret. À ma façon, j'ai participé au renvoi des scripteurs, et, je m'en excuse, au tien, mais la restructuration était déjà déclenchée avant mon arrivée. Radio-Canada ne vous aime pas et voulait se débarrasser de vous. Moi non plus elle ne m'aurait pas toléré bien longtemps, surtout que j'ai découvert où sa modernisation conduisait.

— Vas-tu me dire enfin ce que Victor Théberge ne voulait pas que tu dévoiles ?

— Bah ! à quoi cela servirait-il maintenant ? Je ne saisis même pas quels intérêts guident nos patrons. Je vais jusqu'à croire qu'ils ont perdu le contrôle et que la réalité se distord plus vite qu'ils ne le veulent, que les mutations prennent des formes imprévues.

— De quoi parles-tu ?

— Je suis fatigué de tout ça. Des hommes. De ma vie surtout. De mes complexes. Je n'ai même pas été foutu de t'avouer mon amour, pas plus qu'à moi-même d'ailleurs. Le désespoir seul me donne le courage de m'ouvrir à toi tandis que nous profitons d'un sursis avant la fin.

— Louis, je t'en prie, ne sois pas pathétique. Je suis une révolutionnaire. L'idéal que je défends dépasse nos personnes. Dans mon jeu, il n'y a pas de place pour les émotions. Je te séduisais seulement parce que les scripteurs voulaient t'utiliser pour saboter les nouvelles politiques de Radio-Canada.

Nous savions que tes faiblesses résidaient dans ta vie intérieure. Je voulais les exploiter. Tu n'es plus un enfant, tu comprends ces choses-là. Hein ? »

L'inventeur ne répond pas à la femme et s'enferme dans
un mutisme boudeur. Les ténèbres lui semblent d'un coup
plus oppressantes.

●

Au fond, l'inventeur sait très bien que Caroline Hébert
se prêtait à un double jeu, tout comme lui d'ailleurs. Elle présume qu'il joue la carte de la naïveté et qu'il se tait parce qu'il
se sent offensé, mais c'est plutôt un abattement général qui
l'accable. Avec sa fin qui approche, il réalise que sa vie n'a
été qu'une longue suite de défaites. Certes, ses échecs amoureux comptent dans sa désolation, mais pas plus que les
autres. Son rendez-vous manqué avec sa nouvelle flamme n'a
été que la répétition d'un schème récurrent. La vie lui donne
des possibilités affectives dont il ne profite jamais entièrement, pas même avec ses enfants disparus. Et le meilleur
pour son âme lui échappe ainsi, ou c'est lui qui se sauve
inconsciemment. Solitaire, il se replie sur lui-même et réinvente le monde, avec ses gadgets ou dans ses livres, pour com-
penser ses manques, mais ses activités ne trouvent pas l'écho
désiré. Lui accorde-t-on enfin un peu d'attention que c'est
pour mieux l'exclure ou le manipuler. Tout comme ces derniers temps où il s'est agité sous le regard amusé des puissants nichés dans leur Olympe.

À cause de ses nombreuses carences, la société québécoise dont il est issu ne lui paraît pas mieux outillée que lui
pour affronter les temps modernes. Elle subira les changements qui s'opèrent sans participer aux décisions. On la gar-
dera à l'écart, où elle croupira dans le jus de ses exceptions.
L'Amérique l'avalera bientôt sans même s'en rendre compte ;
le pragmatisme des capitalistes ignore les velléités nationales.

La révolution technologique, qui s'incarne dans un anglais impérialiste, s'adresse à l'individu, pas aux peuples, surtout pas quand ils partagent une singularité qui dépasse l'entendement de ses nouvelles machines. Le sort de l'insignifiante province en est déjà jeté.

•

Les lumières s'ouvrent sur une salle d'opération. L'inventeur et la femme sont toujours couchés sur des lits et attachés avec des sangles. Entre un bataillon de techniciens vêtus d'un sarrau, de gants, de masque et d'un bonnet verts. Ils entourent les deux patients (ou victimes) et préparent leurs instruments. On a poussé un chariot à roulettes au pied de chaque lit, dont une serviette recouvre le contenu. On la retire pendant les préparatifs, montrant un écheveau de fils métalliques qui attend qu'on le greffe aux patients. La voix du patron d'IBM, Bill Guterbenger, surgit de haut-parleurs fixés dans le plafond suspendu.

(Note de l'auteur : comme lors des précédentes interventions du patron d'IBM, la scène se déroule en anglais.)

BILL GUTERBENGER
Me revoici encore, cher Louis Philippe, mais pour la dernière fois. Vous m'excuserez de nouveau de ne pas me présenter en personne, surtout pour cette grande étape que vous vous apprêtez à vivre ; la force me manque pour assister à votre opération. Je ne supporte pas la vue du sang. Mon analyste, qui applique Freud à la lettre, prétend que je n'ai pas surmonté le traumatisme de ma naissance. C'est pourquoi une simple coupure me vire à l'envers. Je reverrais, à tous les coups, le liquide de la matrice maternelle, pour lequel j'ai développé une insurmontable aversion. Enfin, c'est une

théorie. On achète ou on n'achète pas. Moi, je trouve que cette névrose me donne une profondeur salutaire. Ma psychanalyse prouve que je ne suis vraiment pas le type désincarné que mes adversaires s'imaginent.

Louis Philippe

Je suis bien heureux pour vous que vous ayez une âme à soigner. Vous comprendrez toutefois que mon empathie a des limites, étant donné les circonstances dans lesquelles je suis plongé. Mais peu importe quelles sont vos intentions à mon endroit, je vous prierais de laisser la femme hors de nos différends. Libérez-la. Elle ne dira rien.

Bill Guterbenger

Les potentats ne reçoivent pas d'ordres et n'éprouvent pas davantage de compassion. Ne gaspillez pas votre énergie et le peu de temps qu'il vous reste. D'ailleurs, vous ne regretterez pas qu'elle soit ici. C'est un cadeau que je vous offre, car, après tout ce temps, j'ai fini par vous trouver sympathique. Vous savez que vous me ressemblez, et que, si vous n'aviez pas vécu ici, à l'écart du marché mondial, isolé dans votre conservatisme, vous auriez pu devenir comme moi.

Louis Philippe

Jamais je n'aurais joué avec la vie des gens comme vous le faites.

Bill Guterbenger

Ne me jugez pas. Cela vient avec le pouvoir. Quelqu'un doit le prendre. Autrefois, c'était un monarque. Maintenant, ce sont les entrepreneurs et les visionnaires qui en assument la responsabilité. Moi, je suis devenu le chef d'un gros Village global. Ma force aura consisté dans la réduction de l'étendue terrestre. Mes outils me donnent une emprise immédiate sur tout.

LOUIS PHILIPPE
Justement, vous avez certainement d'autres chats à fouetter.
Laissez-nous tranquilles et j'emmènerai Caroline vivoter avec
moi bien loin de vos influences.

BILL GUTERBENGER
Non, j'ai d'autres idées en ce qui vous concerne. Depuis que
vous avez attiré mon attention, mon intérêt pour vos activités
n'a cessé de s'accroître. Le robot incomplet que j'avais laissé
dans votre appartement me téléversait des rapports très
détaillés — vous vous doutiez bien qu'il continuait de travailler pour moi, vous n'êtes pas si idiot... Mes techniciens se
sont même inspirés de vos expériences avec les ordinateurs
pour parfaire nos machines, notre réseautage et quelques-
uns de nos logiciels. Il y a une certaine inventivité québécoise
que je ne soupçonnais pas avant de vous rencontrer, et que
j'ai tout intérêt à exploiter. D'ailleurs, ce qui se passe à Radio-
Canada est franchement étonnant et annonce des perspectives très stimulantes. Sans qu'elle le sache, nous utilisions la
station comme cobaye, en lui vendant du matériel informatique plus sophistiqué. Au fil des années, nous avions quelque
peu relâché notre supervision, mais, depuis votre embauche,
le souvenir de son existence nous est revenu. Il était temps,
car les derniers développements risquaient de bouleverser
bientôt le reste du Canada et, incidemment, l'Amérique. Je
n'ose même pas penser à la crise mondiale qu'aurait provo-
quée la mort de Michael Jackson à Montréal... Enfin, maintenant, nous reprenons le contrôle de la Tour. Victor Théberge
sera remplacé par l'un de nos automates. L'assimilation culturelle de votre province ira en s'accélérant dans les prochaines années à cause de l'intrusion plus agressive de nos
machines de télécommunication et de votre collaboration
consentante. Quant à vous, vous vivrez dans une autre personnalité, en compagnie de Caroline Hébert, qui sera, elle
aussi, transformée, une fois que les techniciens auront

complété leur travail. Tous deux, vous serez branchés en permanence sur le réseau virtuel, avec la sensation voluptueuse d'avoir dépassé les limites contraignantes de vos corps trop lourds et trop lents.

Les anesthésistes les endorment. Les chirurgiens ouvrent leur crâne et leur cage thoracique. Ils enlèvent des organes et les remplacent par des bouts de fils métalliques. On les referme et les recoud. Ils se réveilleront heureux.

Troisième machine : la Remington médiumnique

J'ai déjà rencontré l'écrivain Louis Philippe. C'était il y a longtemps. Ce souvenir ancien me sort de ma retraite et nous ramène à mes jeunes années de professeur de cégep. À cette époque-là, j'étais encore rempli de fougue et de dévotion — alors que, maintenant, je vis en réclusion dans l'attente de la fin, comme vous me voyez là, tapi dans l'ombre, entouré de mes livres, mes seuls et fidèles compagnons... Ah oui, j'entrais en classe déterminé, transporté par ma passion de la lecture. Je lévitais presque. Je croyais dur comme fer que ma parole seule suffirait. Que mes récits emporteraient les élèves. Que leur esprit s'ouvrirait au contact des grands auteurs... Je m'illusionnais. Avec le poids de l'âge et le recul nécessaire, je peux désormais l'affirmer : la réalité était bien différente de ce que j'imaginais. Mes élèves s'ennuyaient en ma présence. Seuls quelques éléments plus dociles et studieux m'écoutaient. Mais la matière de mon cours ne les captivait même pas. Ceux-là ne se souciaient que de leurs notes. J'aurais parlé de recettes de cuisine qu'ils auraient eu la même attention. Pour les cancres, c'était pire. Je n'étais rien de moins qu'un étranger, une bizarre excroissance qui avait poussé hors de l'enclos de leur société. Je pense même que certains avaient pitié de moi. Ce que j'ai pu chercher la raison de ce fossé qui me séparait de mes élèves ! Je me suis débattu. Je modifiais mes cours et changeais constamment mes œuvres au programme. Par des pirouettes intellectuelles, je raccrochais les auteurs classiques à l'actualité. Il n'y a rien que je ne fis pas, avant de me décourager. Cela vint inéluctablement. J'ai fini par m'aigrir. Comme bien de mes collègues, j'ai accusé l'apathie de mes élèves et l'idiotie que leurs parents leur avaient transmise telle une tare. L'incompétence du ministère de l'Éducation. La décadence du monde moderne. Le capitalisme. L'abrutissante culture de masse. Mais, au fond, il a bien fallu que je finisse par l'admettre. Le problème, c'était moi. J'étais soporifique et froid. Enfermé dans mes discours interminables. Empêtré dans les abstractions. Et incapable d'entrer en communion avec les élèves qui exigeaient un peu de chaleur humaine de ma part.

Aujourd'hui, les choses ont bien changé. Les professeurs disposent de moyens évolués pour garder leur classe captive. Nous jouissons de connaissances éprouvées en pédagogie sur l'apprentissage des connaissances. Presque plus personne ne décroche, même la grande majorité des garçons persiste jusqu'aux études supérieures. Moi, par contre, je ne me suis jamais adapté au progrès. J'avais été formé dans les livres et mon esprit concevait le savoir encyclopédique comme un tout linéaire. Avec mes connaissances — dont j'étais le seul possesseur (je croyais à tort qu'il ne pouvait en être autrement) —, je transmettais ainsi l'organisation de ma pensée, à laquelle les élèves devaient donc se plier dans une écoute passive. Mais ils n'y arrivaient pas. Ils se désintéressaient rapidement. Devais-je mettre cela sur le compte de leur fainéantise et de leur mauvaise foi ? J'ai malheureusement fini par le faire. Ce mécanisme de défense a longtemps protégé mon univers mental, jusqu'à ce que je décide de prendre ma retraite anticipée. Le constat devenait de plus en plus évident. Mon inaptitude nuisait aux élèves et au collège et me condamnerait tôt ou tard à la dépression ou au suicide. Je devais quitter ce milieu qui, comme le reste de la société, était en mutation. Mon conservatisme et ma nostalgie n'avaient plus leur place dans une classe. L'erreur avait été de croire que les maisons d'enseignement vivaient à l'écart du monde contemporain pour s'en protéger. Cette conception qui relève du Moyen Âge est dépassée. L'extérieur ne constitue pas une menace. À l'instar de la société, je devrais donc moi aussi changer. Les réformes pédagogiques m'y obligeaient de toute façon. Je décidai plutôt de partir et de m'emmurer dans mes convictions, en retrait de la vie courante, tel un ascète. Je laissais aux autres le soin de mener à terme leur révolution.

Et il y en a bien eu une. Allez dans une salle de classe pour le constater. C'est renversant. Le professeur ne discourt plus, il dialogue plutôt avec ceux qu'on appelle désormais les apprenants. Tous les éléments du groupe participent aux échanges dans une sidérante convivialité. Sur les pupitres, il n'y a plus de livres ni de crayons ; on manipule une légère et mince tablette électronique, et, devant la classe, le professeur dispose d'un écran géant tactile aux multiples fonctions. Les possibilités de ces outils performants sont infinies. De plus, le fait que les appareils intelligents soient en réseau produit un sentiment de communauté chez leurs utilisateurs. Les moins brillants ne se sentent plus exclus des activités, car c'est le groupe au complet qui participe aux recherches. Le processus est suivi pas à pas par chacun selon ses aptitudes et peut prendre des directions inattendues. Le professeur recherche toujours le consensus du groupe afin d'éviter les déchirements ou les humiliations. Il encourage aussi les initiatives personnelles puisque lui-même ignore la finalité des activités qu'il met en branle. L'apprentissage devient ainsi une aventure en plus d'être une source renouvelée de plaisir. En soi, il s'agit d'un miracle.

Par leur pragmatisme, ces nouvelles méthodes d'enseignement, axées sur la coopération et la découverte, s'avèrent très efficaces. Elles avivent la débrouillardise des élèves et encouragent leur précocité. Avec l'aide de leurs machines, rien ne leur résiste. Ils viennent à bout de n'importe quel sujet en peu de temps et ils le font avec passion, même si la question les rebute au départ. Manipuler l'interface des écrans les stimule tout en leur donnant un sentiment de puissance. C'est vertigineux ce qu'ils peuvent faire avec ce que recèle Internet et les programmes informatiques. Devant ce spectacle, les vieux comme moi développent immanquablement un complexe d'infériorité par rapport aux nouvelles générations nées à l'ère de l'électronique. Nous, nous avons tout appris lentement et pouvions passer des heures à chercher une information secondaire dans les bibliothèques. Nous nous spécialisions dans une discipline en déployant des efforts considérables pendant nos éprouvantes années universitaires. Nous mémorisions tout parce que les livres, une fois refermés, redevenaient silencieux. Mais les jeunes maintenant accèdent à Freud et à Einstein en un instant, décortiquent des questions complexes sans efforts et saisissent rapidement l'essentiel. Leur volubile encyclopédie est décloisonnée. Le champ de leurs connaissances forme une mosaïque interactive où tout bouge et s'anime. Il y a de la vie là où, pour moi, il y avait du vide à combler. Sans doute qu'ils ne savent pas mieux lire ou écrire qu'autrefois, mais ces vieilles balises académiques fixées à l'époque de Gutenberg n'existent plus justement. Le livre dictait ses propres règles. C'est au tour de l'électricité d'imposer désormais sa loi et son système. Et, dans ce nouveau monde, je suis, moi, désuet.

Mais je vous sers un bien long préambule, cher auditeur, alors que je vous ai promis de vous parler de l'écrivain Louis Philippe. Vous pensez que je radote. Excusez-moi. J'ai rarement l'occasion de m'entretenir avec quelqu'un et cela, je dois l'avouer, me manque un peu. Je profite donc honteusement de la situation pour m'abandonner à mes vieilles manies de professeur. Je donne en effet l'impression de ne pas accoucher. Il est vrai que j'enrobe mon discours de sinueux détours, mais c'est un leurre dont j'ai le secret. La vérité, rassembleuse, chutera à la fin et vous aurez alors une illumination. Acceptez de ruminer un peu, de couver les idées que je fais germer en vous, de réfléchir patiemment. La course du temps s'arrête. C'est voulu. Je dirais même que je le désire. C'est ma manière — bien sûr ancienne — de combattre la mort. Vous me donnez en fait la chance de l'éprouver (la manière, pas la mort), peut-être même pour la dernière fois, et je compte bien en profiter. À mon âge, nous n'avons pas le luxe de laisser passer les opportunités que la vie nous offre. Elles pourraient ne plus jamais se représenter. Je ne tiens pas à emporter d'autres regrets dans ma tombe. Ils sont déjà assez nombreux. La place manquerait.

Puisque vous êtes maintenant prévenu, laissez-moi encore étirer la sauce et citer le théoricien des médias Marshall McLuhan. Une phrase toute simple tirée de *Understanding Media* m'a longuement fait réfléchir à l'époque où j'ai lu pour la première fois cet essai fondamental, alors que je commençais à réaliser que mon enseignement était inadéquat et inefficace. Car, vous l'ignoriez peut-être, mais McLuhan était un professeur et les questions pédagogiques le préoccupaient grandement. Il fait alors le constat suivant : « La difficulté ne réside pas dans le fait que les écoliers soient incapables d'apprendre à lire, mais dans leur incapacité de se représenter des buts éloignés. » Pour lui, les médias, dans lesquels le savoir est transmis, déterminent la nature même de ce savoir. Cette évidence lui saute aux yeux. Cependant, dans les années soixante, les sociétés alphabétisées n'ont pas encore le réflexe de critiquer leur façon de penser. McLuhan fait bande à part. Moi, j'ai découvert ses livres dans les années quatre-vingt, au moment où les prophéties du théoricien commençaient à se réaliser — mais, où, bizarrement, elles tombaient aussi tranquillement dans l'oubli. McLuhan avait pourtant vu juste. C'était une évidence. Les médias électroniques, tels que la radio et la télévision, avaient transformé le langage de mes élèves et la « formation de leurs perceptions ». Les ordinateurs domestiques le feraient davantage encore, de telle sorte que la lecture deviendrait véritablement un but de plus en plus étranger, un exercice dépassé et insaisissable. La littérature telle que je la conçois dans mon idéalisation nostalgique était donc en péril et elle n'en sortirait pas gagnante. Au mieux, elle survivrait quelque temps puisque les habitudes sont tenaces, mais la révolution technologique finirait par l'emporter dans son puissant déferlement. Bientôt, nous nous en souviendrions comme d'une vieille coutume, comme d'une pratique primitive. C'était irréversible. À ce sujet, McLuhan, pour illustrer ses idées, compare souvent les sociétés occidentales, alphabétisées et industrialisées, aux tribus africaines, qui avaient de la difficulté à s'adapter à la vie moderne des colonisateurs. Pour qu'elles deviennent comme eux (un ensemble d'individus rationnels capables de décoder les signes typographiques), on les privait de leur identité communautaire et de leurs croyances. On les blanchissait en quelque sorte. Aujourd'hui, je me sens comme ces Noirs d'autrefois ; mon intelligence n'a pas sa place dans l'univers conquérant des médias électroniques. Et le plus pervers est que ce sont mes élèves de jadis qui s'apprêtent à devenir les maîtres des temps nouveaux. Ils effaceront mon passé sans aucune émotion, la marche du progrès ne regardant que vers l'avenir. Leur professeur pathétique sombrera dans les oubliettes de l'Histoire. Personne ne le plaindra.

À m'entendre vous devez croire que je renie mes contemporains et leurs goûts si opposés aux miens. Que je me réfugie dans l'imaginaire et les histoires des siècles passés. Que je n'ai d'yeux que pour ma bibliothèque. On associe souvent les littérateurs à des rêveurs finis ou à des fabulateurs. Ce n'est vrai qu'en partie. Nous sommes pourtant bien ancrés dans le réel, même si nous le critiquons avec hargne et que nous semblons le fuir comme la peste. Bien sûr, du temps où j'enseignais, je faisais lire à mes élèves les classiques et des auteurs du passé en qui ils ne pouvaient pas reconnaître leur moi égoïste, parce qu'il me semblait essentiel de leur donner une mémoire qui les transcende. Mais je ne me limitais pas pour autant à Rabelais, Molière, Balzac ou Proust, ni aux pionniers de la littérature canadienne-française et aux précurseurs de génie tel Nelligan. Parfois, je dénichais aussi des œuvres récentes, à la condition toutefois qu'elles heurtassent les convictions. Je cherchais souvent parmi les œuvres d'anticipation, qui parviennent mieux que les romans réalistes à provoquer une remise en question du présent trop confortable et des idées préconçues du lecteur. Dans ces œuvres, je trouvais la charge de violence nécessaire à ma démarche pédagogique. Elles opéraient un travail de sape fort instructif. C'est dans cette perspective-là qu'à l'automne 1987 j'avais pris le risque calculé de mettre au programme *La manufacture de machines* de Louis Philippe. Voilà une œuvre qui détonnait, ô combien déroutante et prophétique. Rien dans ce recueil de nouvelles à la stupéfiante structure ne permettait à mes élèves de projeter leurs fantasmes adolescents. Ils pouvaient encore moins l'interpréter comme une vision strictement futuriste. L'auteur avait situé sa manufacture à la campagne et non dans une grande métropole, comme s'il décrivait une autre révolution industrielle aux accents oniriques ayant eu lieu dans le passé. Les ramifications entre les nouvelles sont hallucinantes. Les présences humaines sont réduites à leur plus simple expression ou bien métamorphosées. On se perd comme dans un labyrinthe. Tout vibre et s'active dans une implacable logique. À mon avis, ce livre est un chef-d'œuvre. Et je savais que, pour cette raison-là, il rebuterait mes élèves, dont la sensibilité avait été formée par les marchands et leurs pacotilles culturelles. Le choc serait très grand. J'espérais ainsi laver leur esprit avec cette lecture audacieuse. Les purger de ce qui entrave leurs pensées. Bref, les secouer.

Mes cours de cette session-là, qui, situés dans l'Histoire, portaient sur les années soixante et soixante-dix, menaient au premier référendum. J'avais volontairement tracé une ligne toute simple, d'une clarté trompeuse. La littérature conduisait le peuple québécois vers son indépendance politique, avec des chantres tels Gaston Miron et Gérald Godin, et vers son émancipation, avec les poètes de la contre-culture et les auteur(e)s féministes. En 1976 paraît le recueil de Louis Philippe, alors que le Parti québécois de René Lévesque remporte, pour la première fois, les élections, dans l'effervescence. Mais ce livre, très cérébral et aérien, ne parle pas du pays à naître ou d'une quelconque problématique sociale. Pas plus qu'il n'encourage une révolution. Il se tient résolument à l'écart de cette tendance généralisée (et sans doute maladive) à nommer le réel. Mon discours s'effondrait alors comme un château de cartes. Toutes mes explications ne permettaient pas de saisir le sens fuyant de ce livre mystérieux. Mes élèves en perdaient leur latin. Les plus faibles d'entre eux, qui étaient quasiment des analphabètes, pestaient et laissaient tomber leur lecture après deux ou trois nouvelles. Ils ne comprenaient rien. Même les plus sagaces se demandaient où l'auteur voulait en venir avec ses descriptions trop pointues et distordues. Ils désespéraient. Quelles questions allais-je poser sur ce livre incompréhensible ? Voulais-je les couler ? Y avait-il un sens caché qui leur échappait ? Les piégerais-je à la fin ? J'aimais l'anxiété que ce devoir de lecture provoquait dans ces âmes si fragiles, si promptes à la panique et à l'hystérie devant l'inconnu et l'indicible.

Volontairement, je ne désembrouillais rien et laissais planer la menace d'une dissertation. Alors que la tension montait et que les élèves développaient une haine grandissante envers le livre, j'invitai l'auteur au cégep. Louis Philippe ignorait toutefois qu'il rencontrerait un public hostile. Intentionnellement, je ne l'avais pas prévenu. Je voulais le mettre en danger et observer comment il réagirait. La littérature et ses auteurs ont besoin d'être confrontés à leurs contemporains, sans quoi ils restent dans l'abstraction, prisonniers de leurs idées. Pour mes élèves, le spectacle serait instructif. Voir s'incarner l'homme derrière l'œuvre dans ses doutes et ses paradoxes leur montrerait le prix véritable de la liberté. Je souhaitais aussi que l'auteur, pour se défendre, affiche sa supériorité intellectuelle. La jeunesse manque cruellement de modestie. Elle a besoin de se faire remettre à sa place. Mais les choses ne se passèrent pas comme prévu. C'est plutôt moi qui fus déstabilisé par la bizarrerie de l'écrivain.

Son comportement très introverti m'inquiéta de prime abord. À peine me parla-t-il lorsque je l'accueillis dans le hall du cégep. Je ne reconnaissais pas l'aplomb avec lequel il m'avait répondu au téléphone, ni l'enthousiasme qu'il avait démontré. Je mis cela sur le compte de sa nervosité. Il refusa même sèchement que je l'aide à transporter ses lourdes valises qui contenaient je ne sais quoi. Par moments, il les déposait pour sortir un carnet de ses poches et il prenait frénétiquement des notes. En étirant le cou, je pus voir par-dessus son épaule qu'il traçait le plan de notre trajectoire avec un soin maniaque. Construit sur plusieurs années, le cégep constituait un ensemble hétéroclite, comme si, par anamorphose, des ailes et des étages s'étaient ajoutés à l'ancien séminaire, le bloc principal, trop petit pour recevoir le nombre toujours croissant d'élèves. Les parties ne communiquaient pas de façon cohérente entre elles. Les couloirs étaient sinueux, les paliers, multiples, les escaliers, étourdissants. Il y avait un détour qu'aussitôt un mur freinait votre avancée. Vous ouvriez la porte, croyant tomber sur une cage d'escalier, mais cela donnait sur une cour intérieure sans issue, encastrée entre quatre pavillons. À la longue cependant, on s'y faisait et l'on ne se perdait plus à chercher son local. Pour nourrir la conversation — l'écrivain, peu loquace, n'avait fait aucun effort pour l'entretenir jusque-là —, j'évoquai l'absurdité des architectes et des administrateurs digne de Kafka. Je vis enfin naître une lueur dans ses yeux. De son côté, il imaginait les galeries d'une taupinière. La logique qui présidait à ce désordre apparent de couloirs et de paliers avait une puissance poétique. Je constatais la fascination de l'écrivain pour l'architecture labyrinthique du cégep et ses excroissances saugrenues sans pour autant que sa soudaine convivialité me rassure sur sa capacité à s'adresser à un public de jeunes illettrés. Il s'arrêtait seulement pour gribouiller dans son carnet et transportait ses lourdes valises sans s'épuiser, montant les escaliers d'un pas alerte, le souffle toujours égal. Sa physionomie bourgeoise ne laissait pas présager que son corps soit doté d'une telle endurance et d'une telle force.

Arrivé dans le local (un amphithéâtre assez grand pour contenir tous mes groupes), l'écrivain déposa ses valises au pied du bureau faisant face aux gradins étagés et il se mit à dessiner avec empressement un schéma sur le grand tableau. Le brouhaha des élèves qui arrivaient et s'installaient ne le perturbait pas. Il serait plus juste de dire qu'il les ignorait, absorbé par son travail. Tout en saluant les gens qui entraient, je reconnus le schéma avant qu'il ne soit terminé parce que je l'avais déjà vu dans une revue savante. Il s'appelait le « pendule auteur-lecteur (dans son bassin) ». Dans une sorte d'aquarium est plongé le pendule de la fiction. La bille au bout du fil représentant le texte (littéraire) oscille dans le réservoir des signes entre deux parois verticales, l'écriture et la lecture. Entre le fond et la surface du réservoir, on passe de la clarté à l'indicible. Après que je l'eus présenté à l'auditoire, l'écrivain donna de longues explications théoriques sur les méandres de la création à partir de son schéma. Pas une fois, il n'évoqua sa vie personnelle. L'écrivain se cantonnait dans ses concepts. Les objections devinrent assez virulentes plus l'impatience grandissait devant cet exposé trop professoral. À quoi servait la littérature sinon à exprimer ses émotions ? Il fallait communiquer son expérience de la vie, raconter ses drames. Le lecteur devait ressentir par osmose les peines et les joies des personnages. N'était-ce pas pour cette raison que tout le monde ici avait détesté *La manufacture de machines* ? Un livre froid, désincarné. Inhumain. Aux antipodes des attentes. Du sentimentalisme populacier. Je sentais la tension monter dans l'auditoire. Mais l'écrivain ne fut pas pour autant désarçonné. Il répondit même avec panache à ses détracteurs (sans doute avait-il l'habitude que ses propos suscitent de vives réactions). Tout en gardant son calme, il attaqua la puérilité intellectuelle de mes élèves — évidemment, je riais dans ma barbe, moi qui avais souhaité une pareille confrontation. Comment ne pouvaient-ils pas percevoir l'intelligence des machines ? Lui, dans son recueil, il les avait simplement affranchies de leur soumission aux hommes, et avait abandonné la matière à son jeu et à ses automatismes.

Obstiné, il revint à son schéma, alors que presque plus personne ne l'écoutait. On pouvait proposer des variations. Comme exemple, il donna au réservoir la «forme sphérique sans haut ni bas d'un œuf», effaçant et dessinant avec minutie au tableau. À l'intérieur, au lieu de baigner dans un jus glaireux, le pendule — non, une «bille métallique» désormais — bougerait dans une «zone d'influence magnétique». Les lois de la pesanteur ne s'appliqueraient plus dans cet univers éthéré. Des possibilités inouïes s'offraient ainsi aux objets évoluant dans l'œuf.

Ce qu'il montrait avec ses schémas, qui déplaisaient à l'auditoire, était le principe d'un système grammatical. Il parlait bien sûr, depuis le début de sa conférence, en des termes métaphoriques. Une démonstration plus littérale finirait de nous convaincre. Cela s'impose toujours dans de pareilles circonstances où il se bute à l'incompréhension. Il sortit enfin le matériel contenu dans ses valises. Il installa une Remington sur un coin du pupitre et, sur l'autre, un ordinateur IBM, une grosse boîte métallique rectangulaire. Il brancha ses machines dans la prise au mur derrière lui puis il saisit un paquet de fils enroulés. L'écrivain colla les électrodes au bout des fils sur ses deux tempes et se relia aux appareils. À ce point-ci de la conférence, je ne savais plus à quoi m'attendre. Certes, je devinais qu'il se prêterait sous nos yeux à une expérience d'écriture. N'installait-il pas une feuille dans le rouleau de la Remington ? N'empêche que je redoutais le tour que les événements prendraient. Captivés, les élèves, eux, ne parlaient plus, heureux qu'on leur offrit enfin un spectacle divertissant. Un cri de stupéfaction traversa l'auditoire quand les barres de frappe de la Remington s'activèrent seules. L'écrivain avait les bras croisés et les yeux fermés. On l'aurait dit en transe ou emporté par les impulsions électriques que lui communiquait l'ordinateur, dont le moteur ronronnait. Une fois que la machine à écrire eût rempli la page, l'écrivain retira les électrodes de ses tempes et montra le fruit de son travail. Un bloc de texte compact ornait la page. Il proposa ensuite aux élèves d'essayer ses machines. Il y eut d'abord une certaine résistance, mais un garçon plus dégourdi se porta volontaire par bravade. Moi, j'étais interloqué et ne m'interposai pas. J'avais désormais la feuille sous mes yeux et ne comprenais rien au sabir que la Remington avait tapé automatiquement. À la fin de son expérience, le jeune homme jubila quand il lut le texte qu'il avait généré sans effort. Il avait l'impression que l'ordinateur avait lu dans ses pensées tout en les nourrissant. On se bouscula ensuite dans l'auditorium pour se brancher sur les machines. L'extase gagna tout le groupe.

En raccompagnant l'écrivain jusqu'à l'aire de stationnement, je lui fis part de mon malaise. Je ne comprenais pas ce qui venait de se passer. À la limite, j'associais son tour de passe-passe à du charlatanisme. En quoi contribuait-il à l'enseignement de la littérature avec ses machines ? Ne travestissait-il pas le sens même du langage ? Il me répondit que l'étroitesse de mon esprit finirait par me perdre. Les livres existent pour que nous puissions devancer le temps et le maîtriser. Grâce à lui, mes élèves venaient d'entrer dans le XXIe siècle. Il aura peut-être même favorisé l'éclosion d'un génie littéraire avec sa conférence et sa pédagogie audacieuse. Il me souhaita de mourir le plus dignement possible avec mes idoles de papier, lui il avait choisi de vivre dans la transgression des formes éprouvées. Sa voiture luxueuse (où diable trouvait-il son argent ?) démarra en vrombissant puissamment. L'écrivain des temps futurs m'abandonna là dans ma désolation, sous un soleil qui plombait et qui chauffait l'asphalte avec l'inflexibilité des dieux.

Table

GARANT DES FORÊTS
INTACTES

Achevé d'imprimer en mars deux mille treize
sur les presses de

MARQUIS
(Québec), Canada.